Pâtes et Nouilles

PaRragon

Bath · New York · Singapore · Hong Kong · Cologne · Delhi · Melbourne

Copyright © 2008 Parragon Books Ltd pour l'édition française

Réalisation : *In*Texte Édition, Toulouse

ISBN 978-1-4075-4169-3

Imprimé en Chine

NOTE

Une cuillère à soupe correspond à 15 à 20 g d'ingrédients secs et à 15 ml
d'ingrédients liquides. Une cuillère à café correspond à 3 à 5 g d'ingrédients
secs et à 5 ml d'ingrédients liquides. Sans autre précision, le lait est entier, les
œufs sont de taille moyenne et le poivre est du poivre noir fraîchement moulu.

Les temps de préparation et de cuisson des recettes pouvant varier en fonction,
notamment, du four utilisé, ils sont donnés à titre indicatif.

La consommation des œufs crus ou peu cuits n'est pas recommandée
aux enfants, aux personnes âgées, malades ou convalescentes
et aux femmes enceintes.

Sommaire

Introduction

Les pâtes existent depuis l'Empire romain, et peu d'aliments

peuvent se cuisiner d'autant de façons différentes : un

placard à provisions devrait toujours en contenir. Elles se

marient aussi bien à la viande, au poisson et aux légumes

qu'aux fruits, et même à une simple sauce aux fines herbes,

pour créer en quelques minutes un repas à la fois savoureux et nutritif.

La plupart des pâtes sont faites à partir de semoule de blé dur qui apporte des

protéines et des glucides. Elles constituent une bonne source d'énergie

à libération lente et ont, en plus, l'avantage de ne pas coûter cher. Il existe de

nombreux types de pâtes, dont certains sont répertoriés ci-contre.

La plupart peuvent s'acheter sèches ou fraîches. Sauf si vous connaissez

un bon magasin de spécialités italiennes, il est inutile d'acheter des pâtes

fraîches non farcies ; par ailleurs, on trouve aussi dans les supermarchés des

tortellinis, des capelletti, des raviolis et des agnolotti d'excellente qualité.

Les pâtes fraîches faites maison sont bien sûr le fin du fin. Leur préparation est un

peu plus longue, mais ne présente aucune difficulté, et le résultat en vaut

vraiment la peine. La pâte peut se faire à la main ou avec un robot de cuisine.

Types de pâtes

Il existe 200 formes de pâtes différentes et environ trois fois plus de noms pour les désigner.

De nouvelles formes ne cessent d'être inventées – et baptisées – , et une même forme ne porte pas forcément

le même nom dans toutes les régions d'Italie. Les pâtes peuvent être classées en quatre catégories : longues

et cylindriques, longues et étroites, tubes et fantaisie. Les pâtes peuvent également être fourrées de diverses

farces. La liste ci-dessous comporte les pâtes non garnies le plus couramment utilisées.

Cravatte, Cravattini pâtes coudées

Cresti Di Gallo « crête de coq »

Ditali, Ditalini tubes courts

Eliche spirale

Elicoidali torsades courtes

Farfalle pâtes coudées

Fedeli, Fedelini baguettes fines en écheveau

Festonati pâtes courtes festonnées

Fettuccine rubans étroits

Fiochette, Fiochelli petites pâtes coudées

Frezine rubans larges

Fusilli torsades

Fusilli Bucati fines torsades

Gemelli deux brins enroulés comme des jumeaux

Lasagne feuilles plates et rectangulaires

Linguine longue pâtes plates

Lumache pâtes creuses en forme d'escargot

Lumachine pâtes plates en forme de U

Macaroni, Maccheroni tubes droits, courts ou longs

Maltagliati pâtes triangulaires

Orecchiette pâtes en forme d'oreille

Orzi pâtes très petites, en forme de grain de riz

Pappardelle rubans droits et étroits, avec les bords festonnés

Pearlini pâtes très petites en forme de disque

Penne, pâtes courtes en forme de tuyaux de plume

Pipe Rigate tubes coudés

Rigatoni pâtes rayées courtes, en forme de cylindre épais

Rotelle pâtes en forme de roue

Ruote pâtes en forme de roue

Semini pâtes en forme de graines

Spaghetti baguettes d'épaisseur fine ou moyenne

Spirale pâtes en forme de spirale double

Strozzapreti pâtes à deux brins torsadés

Tagliarini pâtes plates fines

Tagliatelle pâtes plates épaisses

Tortiglione tubes fins et torsadés

Vermicelli pâtes très fines généralement enroulées en écheveau

Ziti Tagliati tubes épais et courts

Recettes de base

Bouillon de poulet

POUR 1,7 LITRE

1 poulet de 1 kg, sans peau

2 branches de céleri

1 oignon

2 carottes

1 gousse d'ail

brins de persil frais

2 litres d'eau

sel et poivre

1 Mettre tous les ingrédients dans une grande casserole et porter à ébullition à feu modéré.

2 Écumer la surface du bouillon à l'aide d'une écumoire. Réduire le feu et laisser frémir, partiellement couvert, et laisser mijoter 2 heures, puis laisser refroidir.

3 Chemiser une passoire d'une mousseline et poser la passoire sur une terrine. Filtrer le bouillon. Le poulet cuit peut être utilisé pour une autre recette. Jeter les autres éléments solides. Couvrir le bouillon et réfrigérer.

4 Retirer la graisse avant utilisation. Conserver au réfrigérateur 3 à 4 jours ou congeler en petites quantités.

Bouillon de légumes

Ce bouillon peut être conservé 3 jours au réfrigérateur ou jusqu'à 3 mois congelé. Il est préférable de saler le bouillon en fonction du plat dans lequel on l'utilise plutôt que de le saler au moment de sa confection.

POUR 1,5 LITRE

250 g d'échalotes

1 grosse carotte, coupée en dés

1 branche de céleri, émincée

½ bulbe de fenouil

1 gousse d'ail

1 feuille de laurier

brins de persil et d'estragon frais

2 litres d'eau

poivre

1 Mettre tous les ingrédients dans une grande casserole et porter à ébullition à feu modéré.

2 Écumer la surface du bouillon à l'aide d'une écumoire. Réduire le feu et laisser frémir, partiellement couvert, et laisser mijoter 45 minutes, puis laisser refroidir.

3 Chemiser une passoire d'une mousseline et poser la passoire sur une terrine. Filtrer le bouillon. Jeter les herbes et les légumes.

4 Couvrir et conserver au réfrigérateur jusqu'à 3 jours

Bouillon d'agneau

POUR 1,75 LITRE

environ 1 kg d'os d'agneau

2 oignons, piqués avec 6 gousses d'ail,
 émincés ou hachés

2 carottes, émincées

1 poireau, émincé

1 à 2 branches de céleri, émincées

1 bouquet garni

environ 2,25 litres d'eau

1 Concasser les os et les mettre dans une grande casserole avec les autres ingrédients.

2 Porter à ébullition à feu modéré. Écumer la surface du bouillon à l'aide d'une écumoire. Réduire le feu et laisser mijoter, partiellement couvert, 3 à 4 heures. Filtrer le bouillon et laisser refroidir.

3 Retirer la graisse qui s'est formée à la surface et réfrigérer. Conservé plus de 24 heures, le bouillon doit être porté à ébullition tous les jours, puis refroidi et réfrigéré. Il peut être congelé jusqu'à 2 mois. Verser dans un sac de congélation et fermer en laissant 2,5 cm d'espace libre.

Bouillon de poisson

POUR 1,7 LITRE

1 tête de cabillaud ou de saumon,
 etc., plus des déchets frais, peau
 et arêtes, par exemple, à obtenir
 du poissonnier

1 ou 2 oignons, émincé(s)

1 carotte, coupée en rondelles

1 ou 2 branche(s) de céleri, émincée(s)

un bon filet de jus de citron

1 bouquet garni ou 2 feuilles
 de laurier fraîches ou sèches

1 Laver la tête et les déchets de poisson. Les mettre dans un fait-tout. Les recouvrir d'eau et porter à ébullition.

2 Écumer la surface à l'aide d'une écumoire. Ajouter le reste des ingrédients. Couvrir et laisser mijoter 30 minutes.

3 Filtrer le bouillon. Laisser refroidir. Conserver au réfrigérateur et consommer dans les 2 jours.

Sauce italienne au fromage

Faire fondre 2 cuillerées à soupe de beurre et faire revenir 25 g de farine. Ajouter 300 ml de lait chaud et cuire jusqu'à épaississement. Ajouter une pincée de noix muscade, du thym séché et 2 cuillerées à soupe de vinaigre de vin blanc, saler et poivrer. Incorporer 3 cuillerées à soupe de crème fraîche épaisse, 50 g de mozzarella et de parmesan râpés, 1 cuillerée à soupe de moutarde, et bien mélanger.

Soupes

Légères et délicates ou plus nourrissantes, les soupes tiennent une place importante dans la cuisine italienne. Les Italiens servent rarement des soupes onctueuses. Même si certaines sont en partie moulinées, la texture des ingrédients est toujours préservée. Soupes épaisses à base de haricots ou de pain en Toscane, à base de riz dans le nord ou composées de tomates, d'ail et de pâtes au sud, les soupes sont différentes d'une région à une autre. Le minestrone est mondialement connu, mais la recette milanaise est certainement la plus connue. Beaucoup sont préparées à base de légumes et délicieuses, et les soupes à base de poisson, le plus souvent des spécialités villageoises, sont aussi très répandues sous différentes formes. Pour tout dire, les variétés et les saveurs sont infinies et sont un réel régal à déguster.

minestrone aux pâtes

8 à 10 personnes

3 gousses d'ail

3 gros oignons

2 branches de céleri

2 grosses carottes

2 grosses pommes de terre

100 g de haricots verts

100 g de courgettes

60 g de beurre

50 ml d'huile d'olive

60 g de lard fumé sans la couenne,
coupé en dés

1,5 l de bouillon de légumes
ou de volaille

1 bouquet de basilic frais, finement
haché

100 g de tomates concassées

2 cuil. à soupe de concentré
de tomates

100 g de croûte de parmesan

90 g de spaghettis, brisés
en morceaux

sel et poivre

parmesan fraîchement râpé,
en garniture

1 Émincer finement les oignons et l'ail et couper le céleri, les carottes, les pommes de terre, les haricots verts et les courgettes en dés.

2 Dans une casserole, faire chauffer l'huile et le beurre, et faire revenir le lard fumé 2 minutes. Ajouter l'ail et l'oignon, et faire revenir 2 minutes puis, sans cesser de remuer, ajouter

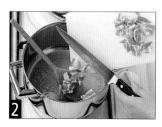

le céleri, les carottes et les pommes de terre. Laisser cuire 2 minutes.

3 Ajouter les haricots et faire revenir 2 minutes. Ajouter les courgettes en remuant et faire revenir encore

2 minutes. Couvrir et laisser cuire 15 minutes sans cesser de remuer.

4 Mouiller avec le bouillon, ajouter le basilic, les tomates, le concentré de tomates et la croûte de parmesan. Saler et poivrer à son goût. Porter à ébullition, réduire le feu et laisser mijoter 1 heure. Jeter la croûte de fromage.

5 Verser les spaghettis et cuire 20 minutes.

CONSEIL

Il y a autant de recettes de minestrone qu'il y a de cuisiniers en Italie ! Vous pouvez utiliser tous les légumes que vous aimez tels que haricots verts, flageolets...

6 Servir dans de grands bols et parsemer de parmesan fraîchement râpé.

soupe aux pâtes et aux haricots

4 personnes

225 g de haricots blancs secs,
préalablement trempés, égouttés
et rincés

4 cuil. à soupe d'huile d'olive

2 gros oignons, émincés

3 gousses d'ail, hachées

400 g de tomates concassées

1 cuil. à café d'origan séché

1 cuil. à café de concentré
de tomates

850 ml d'eau

85 g de pâtes fantaisies

125 g de tomates séchées, finement
émincées

1 cuil. à soupe de coriandre
ou de persil plat frais haché

2 cuil. à soupe de parmesan frais
râpé

sel et poivre

1 Placer les haricots dans une grande casserole. Couvrir d'eau et porter à ébullition 10 minutes. Rincer et égoutter.

2 Faire chauffer l'huile dans une grande poêle à feu moyen. Ajouter les oignons et les faire à peine blondir. Ajouter l'ail. Laisser revenir une minute, ajouter les tomates concassées, l'origan et le concentré de tomates. Couvrir d'eau.

3 Ajouter les haricots égouttés, porter à ébullition et couvrir. Laisser frémir 45 minutes environ jusqu'à ce que les haricots commencent à s'attendrir.

4 Ajouter les pâtes, saler et poivrer selon son goût et ajouter les tomates séchées. Porter de nouveau à ébullition, couvrir partiellement et faire cuire encore 10 minutes, jusqu'à ce que les pâtes soient al dente.

5 Mélanger le persil ou la coriandre à la soupe. Goûter et rectifier l'assaisonnement si nécessaire. Répartir dans des bols chauds, parsemer de parmesan et servir immédiatement.

soupe de pommes de terre au pesto

4 personnes

3 tranches de lard gras fumé, sans
   la couenne
450 g de pommes de terre
   farineuses
450 g d'oignons
25 g de beurre
600 ml de bouillon de volaille
600 ml de lait
100 g de conchigliette sèches
150 ml de crème fraîche épaisse
persil frais, haché
PESTO
60 g de persil frais,
   finement haché
2 gousses d'ail, hachées
60 g de pignons, hachés
2 cuil. à soupe de feuilles
   de basilic frais hachées
60 g de parmesan, fraîchement râpé
poivre blanc
150 ml d'huile d'olive
ACCOMPAGNEMENT
parmesan, fraîchement râpé
pain à l'ail

2 Couper en tranches fines lard, pommes de terre et oignons. Faire revenir le lard 4 minutes dans une casserole. En remuant, ajouter beurre, pommes de terre, oignons, et faire cuire 12 minutes.

3 Ajouter le bouillon et le lait, porter à ébullition et laisser mijoter 10 minutes. Ajouter les pâtes et laisser mijoter encore 12 à 14 minutes.

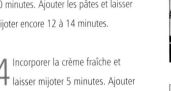

4 Incorporer la crème fraîche et laisser mijoter 5 minutes. Ajouter le persil et 2 cuillerées à soupe de pesto. Verser la soupe dans des bols et servir avec le parmesan et le pain à l'ail.

1 Pour préparer le pesto, passer 2 minutes tous les ingrédients au mixeur ou au robot, ou mélanger à la main.

soupe de poisson à l'italienne

4 personnes

60 g de beurre

450 g de filets de poissons assortis
   (rouget barbet et vivaneau,
   par exemple)

450 g de fruits de mer préparés
   (calmars et crevettes,
   par exemple)

225 g de chair de crabe fraîche

1 gros oignon, émincé

25 g de farine

1,2 l de bouillon de poisson

100 g de pâtes sèches (ditalini ou
   macaronis coudés, par exemple)

1 cuil. à soupe d'essence d'anchois

zeste râpé et jus d'une orange,
   un peu plus en accompagnement

50 ml de xérès sec

300 ml de crème fraîche épaisse

sel et poivre noir

3 Ajouter peu à peu le bouillon et porter à ébullition sans cesser de remuer. Réduire le feu et laisser mijoter 30 minutes.

4 Ajouter les pâtes et faire cuire 10 minutes.

5 Incorporer l'essence d'anchois, le zeste et le jus d'orange, le xérès et la crème fraîche. Saler et poivrer à son goût.

6 Bien faire chauffer la soupe. La verser dans une soupière ou dans des bols chauds, et servir.

1 Faire fondre le beurre dans une casserole et faire cuire 6 minutes à feu doux les filets de poisson, les fruits de mer, la chair de crabe et l'oignon.

2 Incorporer la farine à la préparation.

soupe de poulet aux nouilles étoilées

5 à 6 personnes

75 g de petites nouilles en forme
    d'étoiles, ou autres sortes
persil frais, haché
1,25 kg de poulet (ailes ou pattes,
    par exemple)
2,5 l d'eau
1 branche de céleri, émincée
1 grosse carotte, coupée en rondelles
1 oignon, émincé
1 poireau, émincé
2 gousses d'ail, hachées
8 grains de poivre noir
4 piments de la Jamaïque
3 à 4 brins de persil
2 à 3 brins de thym frais
1 feuille de laurier
½ cuil. à café de sel
poivre

le bouillon frémir sans couvercle
30 minutes. Une fois le poulet refroidi,
retirer les os et couper la viande en
petites bouchées si nécessaire.

3 Filtrer le bouillon et retirer le plus
possible de graisse. Jeter les
légumes et les herbes. Il devrait rester
environ 1,5 l de bouillon.

1 Placer le poulet dans une grande
cocotte avec l'eau, le céleri,
la carotte, l'oignon, le poireau, l'ail,
les grains de poivre, les piments,
les herbes et le sel. Porter à ébullition
et retirer l'écume qui se forme
à la surface. Baisser le feu et laisser
mijoter, à demi couvert, 2 heures.

4 Porter le bouillon à ébullition
dans une casserole. Ajouter les
nouilles et baisser le feu pour que la
soupe frémisse. Cuire 10 minutes
jusqu'à ce que les nouilles soient
cuites.

2 Retirer les morceaux de poulet
et laisser refroidir. Laisser

5 Ajouter les morceaux de poulet.
Goûter, saler et poivrer. Verser
la soupe dans des bols préchauffés
et garnir avec du persil haché.

soupe de raviolis aux crevettes

4 personnes

PÂTE À RAVIOLIS
150 g de farine
50 ml d'eau bouillante
25 ml d'eau froide
1 cuil. à café ½ d'huile
FARCE
125 g de viande de porc, hachée
125 g de crevettes, cuites
    et décortiquées, hachées
50 g de châtaignes d'eau en boîte,
    égouttées, rincées et hachées
1 branche de céleri, hachée
1 cuil. à café de maïzena
1 cuil. à soupe d'huile de sésame
1 cuil. à soupe de sauce
    de soja claire
SOUPE
850 ml de bouillon de poisson
50 g de vermicelle transparent
1 cuil. à soupe de xérès sec
ciboulette ciselée, en garniture

1 Pour préparer la pâte, mélanger la farine, l'eau bouillante, l'eau froide et l'huile dans une terrine, pour former une pâte souple.

2 Pétrir la pâte 5 minutes sur une surface farinée. Diviser la pâte en 16 morceaux réguliers.

3 Abaisser la pâte en disques d'environ 7,5 cm de diamètre.

3

4 Mélanger les ingrédients de la farce.

5 Placer une cuillerée de farce au centre de chaque disque.

Rabattre les bords vers le centre en les plissant et en les joignant pour former une aumônière. Torsader la pâte avec les doigts pour fermer.

5

6 Dans une casserole, verser le bouillon et porter à ébullition.

7 Ajouter le vermicelle, les raviolis et le xérès, et laisser cuire 4 à 5 minutes jusqu'à ce que le vermicelle et les raviolis soient tendres. Garnir de ciboulette et servir.

7

soupe de légumes

4 personnes

1 petite aubergine

2 grosses tomates

1 pomme de terre, épluchée

1 carotte, épluchée

1 poireau

420 g de haricots cannelini

850 ml de bouillon de légumes
ou de volaille très chaud

2 cuil. à café de basilic séché

10 g de cèpes séchés, recouverts
d'eau chaude et mis à tremper
20 minutes

50 g de vermicelli

3 cuil. à soupe de pesto
(*voir* page 13 ou utiliser
un pistou tout prêt)

parmesan fraîchement râpé,
en accompagnement (facultatif)

Ajouter l'aubergine, les tomates, la pomme de terre, la carotte et le poireau, et bien mélanger.

1 Couper l'aubergine en rondelles de 10 mm d'épaisseur, puis découper chaque rondelle en quatre.

2 Couper les tomates et la pomme de terre en dés, la carotte en bâtonnets de 2,5 cm de long et le poireau en rondelles.

3 Mettre les cannelini et leur jus dans une grande casserole.

4 Ajouter le bouillon et porter à ébullition. Réduire le feu et laisser mijoter 15 minutes.

5 Ajouter le basilic, les cèpes séchés et le liquide dans lequel ils ont trempé ainsi que les vermicelli. Laisser mijoter 5 minutes, jusqu'à ce que tous les légumes soient tendres.

6 Retirer la casserole du feu et incorporer le pistou.

7 Servir éventuellement accompagné de parmesan fraîchement râpé.

soupe de pois cassés aux pâtes aux œufs

4 personnes

3 tranches de lard fumé, sans la
  couenne et coupées en dés

1 gros oignon, haché

15 g de beurre

2,3 l de bouillon de volaille

450 g de pois cassés, mis à tremper
  2 heures dans de l'eau froide
  et égouttés

225 g de nouilles sèches aux œufs

150 ml de crème fraîche épaisse

sel et poivre

persil frais haché, en garniture

croûtons au parmesan
  (voir « conseil »),
  en accompagnement

1 Mettre le lard, l'oignon
et le beurre dans une casserole
et cuire à feu doux 6 minutes environ.

2 Ajouter les pois cassés
et le bouillon de volaille,
et porter à ébullition. Saler et poivrer
légèrement, couvrir et laisser mijoter
1 h 30.

CONSEIL

Pour les croûtons au parmesan,
coupez une baguette de pain
en tranches. Enduisez légèrement
chaque tranche d'huile d'olive
et saupoudrez de parmesan.
Faites griller 30 secondes.

3 Ajouter les nouilles et laisser
mijoter encore 15 minutes.

4 Verser la crème fraîche et bien
mélanger. Verser dans des bols,
garnir avec le persil et ajouter
les croûtons au parmesan. Servir
immédiatement.

minestrone au pesto

6 personnes

175 g de haricots blancs
(cannellini), trempés 12 heures
2,5 l d'eau ou de bouillon végétal
1 gros oignon, haché
1 poireau, nettoyé et coupé
en julienne
2 branches de céleri, coupées
en julienne
2 carottes, coupées en dés
3 cuil. à soupe d'huile d'olive
2 tomates, pelées et concassées
1 courgette, coupée en julienne
2 pommes de terre, coupées en dés
85 g de coudes ou autres petits
macaronis
sel et poivre
4 à 6 cuil. à soupe de parmesan
frais râpé (facultatif)

PESTO
2 cuil. à soupe de pignons
5 cuil. à soupe d'huile d'olive
2 bouquets de basilic frais,
sans les queues
4 à 6 gousses d'ail, hachées
85 g de pecorino ou de parmesan
frais, râpé

1 Égoutter et rincer les haricots trempés. Porter à ébullition dans une casserole avec l'eau ou le bouillon de légumes (éviter le bouillon trop salé, il durcirait les haricots à la cuisson) à feu doux et laisser frémir 1 heure.

2 Ajouter l'oignon, le poireau, le céleri, les carottes et l'huile. Couvrir et laisser frémir 4 à 5 minutes.

3 Ajouter les tomates, les courgettes, les pommes de terre et les macaronis. Saler et poivrer. Couvrir et laisser frémir 30 minutes jusqu'à ce que les ingrédients soient tendres.

4 Pour le pesto faire chauffer 1 cuillerée à soupe d'huile d'olive à feu doux dans une grande poêle. Ajouter les pignons, faire blondir et égoutter. Hacher les pignons dans un robot de cuisine avec le basilic et l'ail, ou ciseler le basilic à la main et le piler dans un mortier avec l'ail et les pignons en versant progressivement l'huile jusqu'à obtenir une pommade. Mettre dans un bol, ajouter le fromage râpé et bien mélanger.

5 Ajouter 1 cuillerée 1/2 de pesto à la soupe et mélanger jusqu'à dissolution complète. Laisser frémir encore 5 minutes. Rectifier l'assaisonnement si nécessaire. Verser dans de grands bols à soupe chauds, parsemer éventuellement de parmesan et servir accompagné du reste de pesto.

soupe de lentilles brunes aux pâtes

4 personnes

4 tranches de lard, découpées
  en dés
1 oignon, haché
2 gousses d'ail, hachées
2 branches de céleri, hachées
50 g de farfalline ou de spaghettis
  cassés en petits morceaux
420 g de lentilles brunes en boîte,
  égouttées
1,2 l de bouillon de jambonneau
  ou de légumes très chaud
2 cuil. à soupe de menthe fraîche
  hachée
4 brins de menthe fraîche

1 Mettre le lard dans une sauteuse
  avec l'oignon, l'ail et le céleri.
Faire revenir sans matière grasse
4 à 5 minutes, en remuant, jusqu'à
ce que les légumes soient tendres
et le lard doré.

2 Ajouter les farfalline ou les
  spaghettis et laisser cuire
1 minute en remuant pour bien
enrober les pâtes de matière grasse.

3 Ajouter les lentilles et le bouillon
  et porter à ébullition. Réduire
le feu et laisser mijoter 12 à 15 minutes,
jusqu'à ce que les pâtes soient cuites.

4 Retirer la sauteuse du feu et
  ajouter la menthe fraîche hachée.

5 Verser la soupe dans des assiettes
  à soupe chaudes et servir
immédiatement.

VARIANTE

Cette recette peut se faire avec
n'importe quel autre type de pâte
(fusilli, conchiglie, rigatoni, etc.).

CONSEIL

Pour des lentilles sèches, ajoutez
le bouillon avant les pâtes
et laissez cuire 1 heure à 1 h 15
pour que les lentilles soient
tendres. Ajoutez les pâtes
et faites cuire 12 à 15 minutes.

soupe de poulet aux pois chiches

4 personnes

25 g de beurre

3 oignons verts, émincés

2 gousses d'ail, hachées

1 brin d'origan frais, finement haché

350 g de blancs de poulet, coupés
en dés

1,2 l de bouillon de volaille

350 g de pois chiches en boîte,
égouttés

1 bouquet garni

1 poivron rouge, coupé
en morceaux

sel et poivre blanc

1 poivron vert, coupé
en morceaux

115 g de pâtes sèches de petite
taille (des nouilles coudées,
par exemple)

croûtons, en accompagnement

1 Faire fondre le beurre dans une grande casserole. Ajouter l'ail, les oignons verts, le brin d'origan et les dés de poulet et faire revenir à feu moyen 5 minutes, en remuant souvent.

2 Ajouter le bouillon de volaille, les pois chiches et le bouquet garni. Saler et poivrer à son goût.

3 Porter la soupe à ébullition, puis réduire le feu et laisser mijoter environ 50 minutes.

4 Incorporer les morceaux de poivron et les pâtes dans la casserole et laisser mijoter à nouveau 20 minutes.

5 Verser la soupe dans une soupière chaude. Servir dans des bols, garni avec des croûtons.

bouillon aux raviolis de poulet

6 personnes

2 l de bouillon de volaille
2 cuil. à soupe d'estragon haché
parmesan, fraîchement râpé

PÂTE À RAVIOLIS

125 g de farine
    (davantage si nécessaire)
2 cuil. à soupe d'estragon frais,
    tiges coupées
1 œuf
1 œuf, blanc et jaune séparés
1 cuil. à café d'huile d'olive
    vierge extra
2 à 3 cuil. à soupe d'eau

FARCE

200 g de poulet cuit, grossièrement
    haché
½ cuil. à café de zeste de citron râpé
2 cuil. à soupe de fines herbes
    (estragon, ciboulette et persil)
4 cuil. à soupe de crème fouettée
sel et poivre

1 Pour préparer la pâte des raviolis, mélanger la farine, l'estragon et du sel dans un robot. Battre l'œuf, le jaune d'œuf, l'huile et 2 cuillerées à soupe d'eau à la main. Verser dans le robot en marche et mixer jusqu'à former une boule de pâte ferme et lisse. Si la pâte s'effrite, ajouter le reste de l'eau. Si la pâte colle, rajouter 1 à 2 cuillerées de farine. Envelopper la boule de pâte et réfrigérer au moins 30 minutes. Réserver le blanc de l'œuf.

2 Pour préparer la farce, hacher le poulet, le zeste de citron et les fines herbes dans un robot. Saler et poivrer. Hacher par impulsions pour contrôler la masse. Transférer dans une terrine et incorporer la crème fouettée. Rectifier l'assaisonnement si nécessaire.

3 Diviser la pâte à raviolis en deux. Couvrir une moitié et abaisser l'autre le plus finement possible sur une surface farinée. Couper des rectangles de 10 x 5 cm.

4 Placer une grosse cuillerée à café de farce sur une moitié des rectangles. Badigeonner les bords avec le blanc d'œuf et refermer. Appuyer fermement sur les bords pour les sceller. Disposer les raviolis en une seule couche sur une feuille de papier sulfurisé saupoudrée généreusement de farine. Répéter l'opération avec le reste de pâte. Faire sécher 15 minutes dans un endroit frais ou réfrigérer 1 à 2 heures.

5 Faire bouillir une grande quantité d'eau salée et plonger la moitié des raviolis. Cuire 12 à 15 minutes jusqu'à ce qu'ils soient tendres. Égoutter sur un torchon et cuire le reste des raviolis.

6 Entre-temps, porter à ébullition le bouillon et l'estragon dans une grande casserole. Baisser le feu, couvrir et laisser frémir 15 minutes pour infuser. Ajouter les raviolis et laisser mijoter 5 minutes pour les réchauffer. Verser dans des assiettes à soupe chaudes.

avgolemono

4 à 6 personnes

1,2 l de bouillon de volaille

100 g d'orzo ou d'autres petites
    pâtes décoratives

2 gros œufs

4 cuil. à soupe de jus de citron

sel et poivre

persil plat frais, finement haché,
    en garniture

pain frais, en accompagnement

1 Verser le bouillon dans une casserole ou une sauteuse et porter à ébullition. Verser l'orzo en pluie, porter à ébullition et laisser cuire 8 à 10 minutes, jusqu'à ce que les pâtes soient tendres.

2 Battre les œufs 30 secondes au moins dans une jatte. Ajouter le jus de citron et battre encore 30 secondes. Réserver.

3 Réduire le feu sous le bouillon et les pâtes de manière à faire cesser l'ébullition. Prélever 250 ml de bouillon.

4 En remuant, verser très doucement 4 ou 5 cuillerées de bouillon dans le mélange aux œufs, ajouter progressivement le reste de bouillon réservé, sans cesser de remuer pour éviter que les œufs ne coagulent.

5 Verser doucement le mélange obtenu dans la casserole en remuant, jusqu'à ce que la soupe épaississe un peu. Ne pas laisser bouillir. Saler et poivrer.

6 Verser la soupe dans des bols chauds et parsemer de persil haché. Servir immédiatement.

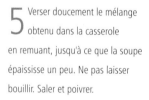

soupe de veau aux champignons sauvages

4 personnes

50 g de veau, émincé

450 g d'os de veau

1,2 l d'eau

1 petit oignon

6 grains de poivre

1 cuil. à café de clous de girofle

1 pincée de macis

140 g de pleurotes et de shiitake,
    hachés grossièrement

150 ml de crème fraîche épaisse

100 g de vermicelle sec

1 cuil. à soupe de maïzena

3 cuil. à soupe de lait

sel et poivre

1 Mettre le veau, les os et l'eau dans une casserole. Porter à ébullition et réduire le feu. Ajouter l'oignon, les grains de poivre, les clous de girofle et le macis, et laisser mijoter 3 heures environ, jusqu'à ce que le bouillon ait réduit d'un tiers.

2 Filtrer le bouillon, écumer la surface, et verser le bouillon dans une autre casserole. Ajouter la viande de veau.

3 Ajouter les champignons et la crème fraîche, porter à ébullition à feu doux et laisser mijoter 12 minutes.

4 Faire cuire le vermicelle al dente dans de l'eau bouillante légèrement salée. Égoutter et réserver au chaud.

5 Mélanger la maïzena et le lait jusqu'à obtention d'une préparation homogène. Incorporer à la soupe pour l'épaissir. Saler et poivrer, et ajouter le vermicelle juste avant de servir. Verser dans une soupière chaude et servir.

soupe de nouilles au bœuf et légumes

4 personnes

225 g de bœuf maigre

1 gousse d'ail, hachée

2 oignons verts, émincés

3 cuil. à soupe de sauce de soja

1 cuil. à café d'huile de sésame

225 g de nouilles aux œufs

850 ml de bouillon de bœuf

½ poireau, émincé

3 mini-épis de maïs, coupés
   en rondelles

125 g de brocoli, en fleurettes

1 pincée de poudre de piment

VARIANTE

Variez les légumes ou utilisez ceux
que vous avez sous la main.
Remplacez la poudre de piment
par quelques gouttes de sauce au
piment (très forte, n'oubliez pas !)

---

1 À l'aide d'un couteau tranchant,
découper le bœuf en fines lanières.
Mettre la viande dans une terrine
et ajouter l'ail, les oignons verts, la
sauce de soja et l'huile de sésame.

2 Mélanger pour bien enrober
le bœuf. Couvrir et laisser mariner
30 minutes au réfrigérateur.

3 Faire cuire les nouilles
3 à 4 minutes dans une casserole
d'eau bouillante. Égoutter
soigneusement et réserver.

4 Verser le bouillon de bœuf dans
une grande casserole et porter
à ébullition. Ajouter le bœuf avec
sa marinade, les épis de maïs, le
poireau et le brocoli. Couvrir et laisser
mijoter à feu doux 7 à 10 minutes,
jusqu'à ce que le bœuf et les légumes
soient tendres et bien cuits.

5 Incorporer les nouilles
et la poudre de piment.
Laisser cuire encore 2 à 3 minutes.

6 Verser la soupe dans
des bols et servir.

marmite de poisson à l'italienne

4 personnes

2 cuil. à soupe d'huile d'olive

2 oignons rouges, finement émincés

1 gousse d'ail, hachée

2 courgettes, émincées

400 g de tomates concassées
en boîte

850 ml de bouillon de poisson
ou de légumes

85 g de petites pâtes fantaisies

350 g de poisson blanc à chair
ferme, cabillaud ou merlu

1 cuil. à soupe de basilic
ou d'origan frais ou 1 cuil. à café
d'origan sec

zeste d'un citron râpé

1 cuil. à soupe de maïzena

1 cuil. à soupe d'eau

sel et poivre

4 brins de basilic ou d'origan frais,
en garniture

1 Faire chauffer l'huile à feu doux dans une grande sauteuse. Faire blondir les oignons et l'ail 5 minutes, en remuant de temps en temps. Ajouter les courgettes et laisser cuire 2 à 3 minutes, en remuant fréquemment.

2 Ajouter les tomates et le bouillon. Porter à ébullition à feu moyen. Ajouter les pâtes et faire bouillir encore 5 minutes.

3 Enlever la peau et les arêtes du poisson. Le couper en cubes. Verser dans la sauteuse avec le basilic ou l'origan et le zeste de citron. Laisser cuire juste assez pour que la chair soit opaque et se détache facilement (ne pas faire trop cuire), et que les pâtes soient al dente.

4 Délayer la maïzena dans l'eau pour obtenir une pâte fluide et incorporer à la marmite. Faire cuire

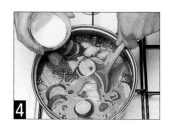

2 minutes sans cesser de remuer, jusqu'à ce que la sauce épaississe. Saler et poivrer.

5 Répartir dans des bols chauds. Garnir de basilic frais et servir immédiatement.

soupe aux nouilles et aux champignons

4 personnes

15 g de champignons séchés
    chinois (shiitake)
1 litre de bouillon de légumes
125 g de nouilles de riz chinoises
2 cuil. à soupe d'huile de tournesol
3 gousses d'ail, écrasées
1 morceau de gingembre frais
    de 2,5 cm, râpé
½ cuil. à café de ketchup
    aux champignons
1 cuil. à café de sauce de soja claire
125 g de germes de soja
feuilles de coriandre fraîche,
    en garniture

1 Faire tremper les champignons séchés au moins 30 minutes dans 300 ml de bouillon. Couper les pieds et les émincer. Réserver le bouillon.

2 Porter à ébullition une casserole d'eau à feu moyen. Ajouter les nouilles et laisser bouillir 2 à 3 minutes. Égoutter, rincer et réserver.

3 Faire chauffer l'huile à feu vif dans un wok. Ajouter le gingembre et l'ail. Mélanger, ajouter les champignons et faire sauter 2 minutes.

CONSEIL
Les nouilles de riz ne contiennent pas de matières grasses et sont conseillées pour les régimes sans graisses.

4 Ajouter le reste de bouillon de légumes et le jus de trempage des champignons et porter à ébullition à feu moyen. Ajouter le ketchup et la sauce soja.

5 Ajouter les germes de soja et laisser cuire jusqu'à ce qu'ils soient tendres. Répartir les nouilles dans des bols et verser la soupe par-dessus. Garnir de feuilles de coriandre.

soupe de pommes de terre aux moules

4 personnes

750 g de moules

2 cuil. à soupe d'huile d'olive

100 g de beurre doux

2 tranches de lard fumé, sans la
   couenne, coupées en morceaux

1 oignon, émincé

2 gousses d'ail, hachées

60 g de farine

450 g de pomme de terre, coupées
   en fines rondelles

100 g de petites congliette sèches

300 ml de crème fraîche épaisse

1 cuil. à soupe de jus de citron

2 jaunes d'œufs

sel et poivre

2 cuil. à soupe de persil frais
   finement haché

quartiers de citron, en garniture

1 Bien ébarber et gratter les moules sous l'eau froide 5 minutes. Jeter celles qui ne se ferment pas quand on les manipule.

2 Dans une casserole d'eau bouillante, verser les moules avec l'huile et une pincée de poivre. Cuire jusqu'à ce que les moules soient ouvertes.

3 Égoutter les moules en réservant le jus de cuisson. Décortiquer les moules et jeter celles qui sont restées fermées.

4 Faire fondre le beurre dans une casserole. Ajouter le lard, l'ail et l'oignon et faire revenir 4 minutes. Incorporer la farine. Mouiller avec 1,2 l de jus de cuisson réservé.

5 Ajouter les pommes de terre dans la casserole et faire cuire 5 minutes. Verser les pâtes et cuire encore 10 minutes.

6 Incorporer la crème fraîche et le jus de citron, saler, poivrer et ajouter les moules.

7 Battre les jaunes d'œufs avec 1 à 2 cuillerées à soupe du jus de cuisson, ajouter à la préparation en remuant et laisser cuire 4 minutes.

8 Servir dans 4 bols chauds, en garnissant avec le persil frais et les quartiers de citron.

Repas légers

Que vous soyez amateur de légumes, de viande ou encore de poisson, ce chapitre comporte une multitude de recettes d'en-cas et de repas légers adaptés aux petits creux comme aux repas plus nourrissants mais à prendre sur le pouce qui plairont à tous. Même les papilles les plus délicates se réjouiront de la délicieuse saveur des raviolis alla parmigiana ou d'une omelette aux pâtes qui leur donneront un petit goût d'Italie. Ainsi, toutes les recettes de ce chapitre, simples et rapides à préparer, deviendront les éléments de base de votre répertoire de l'art culinaire italien.

ravioli alla parmigiana

4 personnes

285 g de pâte à raviolis
(*voir* page 24)

1,2 l de bouillon de veau

1 blanc d'œuf, battu

parmesan fraîchement râpé,
en accompagnement

FARCE

100 g de parmesan,
fraîchement râpé

2 œufs

125 ml de sauce espagnole
(*voir* « conseil »)

1 petit oignon, finement émincé

1 cuil. à café de noix muscade
fraîchement râpée

100 g de chapelure blanche fine

1 Faire la pâte à raviolis. Abaisser
deux morceaux de pâte et couvrir
avec un torchon humide le temps
de préparer la farce.

2 Pour la farce, mélanger
le parmesan, les œufs,
la chapelure, la sauce espagnole
(*voir* « conseil », l'oignon haché
et la noix muscade râpée
dans une jatte.

3 Déposer des cuillerées de farce,
à intervalles réguliers, sur l'un
des morceaux de pâte. Recouvrir avec
le second morceau de pâte, couper
en carrés et souder les bords.

4 Porter le bouillon de veau
à ébullition dans une casserole.
Ajouter les raviolis et faire cuire environ
15 minutes.

5 Verser le bouillon et les raviolis
dans des bols chauds, parsemer
généreusement de parmesan et servir
immédiatement.

CONSEIL

Pour la sauce espagnole, fondre
25 g de beurre, ajoutez 25 g
de farine. Incorporez 1 cuillerée
à café de concentré de tomates,
250 ml de bouillon de veau,
1 cuillerée à soupe de madère
et 1 cuillerée à café
½ de vinaigre de vin. Faites
revenir dans l'huile
avec du thym et du laurier,
25 g de lard, autant de carottes
et d'oignons, 15 g de céleri,
autant de poireaux et de fenouil.
Ajoutez à la sauce
et laissez cuire 4 heures.
Filtrez.

linguine au jambon fumé

4 personnes

450 g de linguine sèches

450 g de brocoli, en fleurettes

225 g de jambon fumé italien

150 ml de sauce au fromage
italienne (*voir* page 7)

sel et poivre

1 Porter à ébullition une casserole
d'eau légèrement salée. Ajouter
les linguine et le brocoli, et faire cuire
10 minutes, jusqu'à ce que les linguine
soient al dente.

2 Bien égoutter les linguine
et le brocoli, et réserver au chaud.

3 Pendant ce temps, faire la sauce
au fromage italienne.

4 À l'aide d'un couteau tranchant,
couper le jambon en fines
lanières. Mélanger les linguine,
le brocoli et le jambon à la sauce
au fromage, et faire chauffer à feu
très doux.

5 Mettre la préparation dans
un plat chaud. Saupoudrer
de poivre noir et servir.

rognons de veau, aux penne et au pesto

4 personnes

75 g de beurre

12 rognons de veau,
    parés et émincés

175 g de champignons de Paris

1 cuil. à café de moutarde anglaise

1 pincée de gingembre frais,
    fraîchement râpé

2 cuil. à soupe de xérès sec

150 ml de crème fraîche épaisse

2 cuil. à soupe de pesto (*voir* p.13)

400 g de penne sèches

sel et poivre

4 toasts, chauds, coupés
    en triangle

brins de persil frais, en garniture

1 Faire fondre le beurre dans une poêle et faire revenir les rognons 4 minutes. Les mettre dans un plat à gratin et réserver au chaud.

2 Mettre les champignons dans la poêle et faire cuire 2 minutes.

3 Ajouter la moutarde et le gingembre, saler et poivrer. Faire cuire 2 minutes et ajouter le xérès, la crème fraîche et le pesto. Faire cuire 3 minutes, puis verser la sauce sur les rognons. Faire cuire au four préchauffé, 10 minutes à 195 °C (th. 6 à 7).

4 Porter à ébullition une casserole d'eau légèrement salée. Ajouter les penne et l'huile, et faire cuire al dente. Égoutter et transférer dans un plat chaud.

5 Poser sur les pâtes les rognons en sauce. Disposer les toasts autour des rognons, garnir avec le persil frais et servir.

coquilles de poulet

4 personnes

175 g de macaronis courts ou autres
   pâtes fantaisies courtes

2 cuil. à soupe d'huile végétale, un
   peu plus pour huiler les coquilles

1 oignon, finement émincé

3 tranches de poitrine maigre et
   coupées en cubes

125 g de champignons de Paris,
   émincés ou coupés en dés

175 g de chair de poulet cuite,
   coupée en dés

175 ml de yaourt nature

4 cuil. à soupe de chapelure

75 g d'emmenthal râpé

sel et poivre

brins de persil plat frais, en garniture

4 coquilles Saint-Jacques vides

1 Porter à ébullition une grande casserole d'eau légèrement salée à feu moyen. Ajouter les pâtes et faire cuire al dente, 8 à 10 minutes ou selon les instructions figurant sur le paquet. Bien égoutter, remettre dans la casserole et couvrir.

2 Faire chauffer l'huile d'olive dans une poêle à feu moyen. Ajouter les oignons et faire revenir jusqu'à ce qu'ils soient translucides. Ajouter la

poitrine et les champignons. Laisser cuire 3 à 4 minutes en remuant une ou deux fois.

3 Mélanger les pâtes cuites, le poulet et le yaourt. Saler et poivrer.

4 Huiler l'intérieur des coquilles et garnir avec la préparation. Façonner en dômes réguliers avec une cuillère en bois.

5 Parsemer la garniture de fromage râpé et de chapelure. Presser pour amalgamer à la garniture. Placer les

coquilles 4 à 5 minutes sous un gril préchauffé, jusqu'à ce qu'elles soient gratinées. Garnir de persil et servir chaud.

spaghettini épicés au chorizo

6 personnes

650 g de spaghettini

125 ml d'huile d'olive

2 gousses d'ail

3 piments rouges frais, hachés

125 g de chorizo, coupé
en rondelles

225 g de champignons sauvages

filets d'anchois, en garniture

2 cuil. à soupe de parmesan
frais râpé

sel et poivre

1 Porter une casserole d'eau salée à ébullition, y plonger les spaghettini et ajouter 1 cuillerée à soupe d'huile. Faire cuire les spaghettini al dente. Égoutter et réserver au chaud dans un plat.

2 Chauffer le reste d'huile dans une poêle et faire revenir l'ail 1 minute. Ajouter le chorizo et les champignons et faire revenir 4 minutes. Ajouter les piments et faire cuire encore 1 minute.

3 Verser la préparation sur les spaghettini, saler légèrement et poivrer. Parsemer le plat de parmesan, garnir avec les filets d'anchois en les disposant suivant un motif en treillage. Servir.

CONSEIL

Si vous achetez des champignons sauvages, assurez-vous toujours de leur provenance. Ne cueillez jamais de champignons sans en connaître la variété. Vous pouvez aussi utiliser des chanterelles. Ces champignons réduisent à la cuisson. Prévoyez-en davantage.

orechiette aux olives et aux poivrons

4 personnes

225 g d'orecchiette sèches

2 cuil. à soupe d'huile d'olive

2 cuil. à soupe de beurre

1 poivron vert, coupé en lanières

1 poivron jaune, coupé en lanières

2 gousses d'ail, hachées

16 tomates cerises, coupées
en deux

1 cuil. à soupe d'origan

125 ml de vin blanc sec

75 g de roquette

2 cuil. à soupe d'olives noires
dénoyautées et coupées
en quatre

sel et poivre

GARNITURE

feuilles d'origan frais

parmesan, fraîchement râpé

CONSEIL

Utilisez une casserole
suffisamment grande pour
que les pâtes ne s'agrègent pas
à la cuisson.

1 Faire cuire les pâtes al dente,
8 à 10 minutes dans une
casserole d'eau bouillante salée.
Bien égoutter.

2 Chauffer l'huile et le beurre dans
une casserole jusqu'à ce que
le beurre soit fondu. Faire revenir l'ail
30 secondes. Ajouter les poivrons
et faire cuire encore 3 à 4 minutes
en remuant.

3 Ajouter les tomates cerises,
l'origan, le vin et les olives, puis
faire cuire 3 à 4 minutes. Saler, poivrer
et ajouter la roquette ; la laisser
légèrement réduire.

4 Verser les pâtes dans un plat de
service, napper avec la sauce et
bien mélanger. Servir immédiatement.

spaghetti alla carbonara

4 personnes

425 g de spaghettis

2 cuil. à soupe d'huile d'olive

1 gros oignon, émincé

2 gousses d'ail, hachées

2 cuil. à soupe de beurre

175 g de lard sans la couenne,
coupé en fines lanières

175 g de champignons,
finement émincés

300 ml de crème fraîche épaisse

3 œufs, battus

100 g de parmesan frais râpé,
un peu plus pour garnir
(facultatif)

sel et poivre

brins de sauge fraîche, en garniture

CONSEIL

La clé du succès de cette recette réside dans la cuisson des œufs : à l'étape 5, les ingrédients doivent être assez chauds pour que les œufs cuisent rapidement sans se transformer en œufs brouillés.

1 Porter à ébullition une casserole d'eau légèrement salée, plonger les spaghettis et cuire 8 à 10 minutes, al dente. Égoutter et remettre dans la casserole et réserver au chaud.

2 Chauffer l'huile dans une poêle à feu moyen. Faire revenir l'oignon jusqu'à ce qu'il devienne translucide. Ajouter l'ail et le lard et faire revenir. Le lard doit être croustillant. Verser dans un plat chaud et réserver au chaud.

3 Faire fondre le beurre dans la poêle et faire revenir les champignons 3 à 4 minutes, sans cesser de remuer. Ajouter le mélange au lard, couvrir et réserver au chaud.

4 Mélanger la crème, les œufs et le fromage dans une jatte. Assaisonner.

5 Mettre les spaghettis dans la poêle et verser la crème aux œufs. Remuer rapidement pour mélanger. Garnir de sauge et de parmesan. Servir.

timbales tricolores

4 personnes

1 cuil. à soupe de beurre
en pommade

60 g de chapelure blanche

175 g de spaghettis tricolores,
cassés en morceaux
de 5 cm de long

2 cuil. à soupe d'huile d'olive

1 jaune d'œuf

125 g de gruyère râpé

300 ml de béchamel (*voir* page 98)

1 oignon, finement émincé

1 feuille de laurier

150 ml de vin blanc sec

150 ml de coulis de tomates

1 cuil. à soupe de concentré
de tomate

sel et poivre

feuilles de basilic frais, en garniture

1 Beurrer 4 ramequins de 180 ml
et couvrir les parois avec la moitié
de la chapelure.

2 Porter à ébullition une casserole
d'eau légèrement salée, y verser
les spaghettis et l'huile d'olive et laisser
cuire 8 à 10 minutes (ils doivent être
juste tendres). Égoutter et mettre dans
une jatte. Incorporer le jaune d'œuf
et le fromage râpé. Saler et poivrer.

3 Verser la béchamel dans la jatte
et mélanger le tout. Répartir
la préparation dans les ramequins
et parsemer avec le reste de chapelure.

4 Disposer les ramequins sur une
plaque de four et faire cuire au
four préchauffé, à 220 °C (th. 7-8),
20 minutes. Réserver au chaud.

5 Pour préparer la sauce, faire
chauffer l'huile d'olive dans une
casserole et faire revenir l'oignon avec
la feuille de laurier 2 à 3 minutes à feu
doux, sans cesser de remuer. Incorporer
le vin, le coulis et le concentré
de tomate. Saler et poivrer. Laisser
mijoter 20 minutes pour faire épaissir
et jeter la feuille de laurier.

6 Démouler dans des assiettes,
garnir de feuilles de basilic
et servir avec la sauce tomate.

omelette aux pâtes

2 personnes

4 cuil. à soupe d'huile

1 petit oignon, émincé

1 bulbe de fenouil, finement émincé

115 g de pommes de terre, coupées
   en dés

1 gousse d'ail, hachée

4 œufs

1 cuil. à soupe de persil plat haché

1 pincée de poudre de piment

2 cuil. à soupe d'olives vertes
   dénoyautées et coupées en deux

100 g de pâtes cuites

sel et poivre

brins de marjolaine fraîche

salade de tomates,
   en accompagnement

1 Faire chauffer la moitié de l'huile dans une poêle et faire revenir l'oignon, le fenouil et les pommes de terre 8 à 10 minutes, jusqu'à ce que les pommes de terre soient juste tendres.

2 Ajouter l'ail et cuire encore une minute. Retirer la poêle du feu, transférer les légumes dans un plat et réserver.

3 Battre les œufs. Incorporer le persil et le piment, saler et poivrer.

4 Faire chauffer 1 cuillerée à soupe d'huile dans une autre poêle. Ajouter la moitié des œufs battus, les légumes réservés, les pâtes et la moitié des olives. Ajouter les œufs battus restants et faire cuire jusqu'à ce que les bords commencent à prendre.

5 Soulever les bords pour faire couler les œufs encore crus sous l'omelette. Faire cuire jusqu'à ce que le dessous soit doré.

6 Disposer l'omelette sur un plat. Nettoyer la poêle avec du papier absorbant et faire chauffer l'huile restante. Renverser l'omelette dans la poêle et faire cuire jusqu'à ce que le second côté soit doré.

7 Faire glisser l'omelette dans un plat chaud, garnir avec les olives restantes et la marjolaine, et servir avec une salade de tomates.

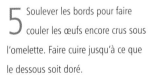

spaghettis à la ricotta

4 personnes

350 g de spaghettis

2 cuil. à soupe d'huile d'olive

3 cuil. à soupe de beurre

2 cuil. à soupe de persil plat frais
     haché

sel et poivre

brins de persil plat frais,
     en garniture

SAUCE

125 g de ricotta

125 g d'amandes,
     fraîchement moulues

1 pincée de noix muscade râpée

1 pincée de cannelle en poudre

150 ml de crème fraîche

1 cuil. à soupe de pignons

125 ml de bouillon de volaille, chaud

CONSEIL

Pour remuer les spaghettis, utilisez
deux grandes fourchettes,
pour bien les enrober
de sauce. Introduire
les fourchettes sous les pâtes
puis les soulevez
en un mouvement concentrique.

1 Porter à ébullition une casserole
d'eau légèrement salée, y verser
les spaghettis et 1 cuillerée à soupe
d'huile et laisser cuire jusqu'à
ce que les spaghettis soient al dente.

2 Égoutter les pâtes puis
les reverser dans la casserole
et y mélanger le beurre et le persil.
Réserver au chaud.

3 Pour faire la sauce, faire cuire
à feu doux dans une casserole
les amandes, la ricotta, la noix
muscade, la cannelle et la crème
fraîche, jusqu'à obtention d'une pâte
épaisse. Incorporer progressivement
le reste de l'huile, puis le bouillon
de volaille chaud, jusqu'à ce que
la pâte soit homogène. Saler et poivrer.

4 Mettre les spaghettis dans un plat
chaud, verser la sauce par-dessus
et bien remuer (voir « conseil »).
Parsemer le plat avec les pignons,
garnir de persil plat et servir.

tagliatelles au beurre d'ail

4 personnes

450 g de farine, un peu plus pour
  étaler la pâte
2 cuil. à café de sel
4 œufs, battus
3 cuil. à soupe d'huile d'olive
75 g de beurre, ramolli
3 gousses d'ail, finement hachées
2 cuil. à soupe de persil ciselé
poivre

1 Tamiser la farine dans une grande
jatte et incorporer le sel.

2 Creuser un puits au centre de la
farine et y mettre les œufs
et 2 cuillerées à soupe d'huile.
Incorporer progressivement la farine.
Lorsque la pâte devient trop difficile
à travailler à la cuillère, pétrir avec
les doigts.

3 Une fois toute la farine
incorporée, disposer sur une
surface farinée et pétrir 5 minutes
jusqu'à ce que la pâte soit homogène
et souple. Si elle est trop collante,
ajouter de la farine. Couvrir la pâte
d'un film alimentaire et la laisser
reposer au frais 30 minutes.

4 Abaisser finement la pâte
et la découper en fines bandes.
On peut bien sûr utiliser une machine à
faire les pâtes. En général le résultat
obtenu avec la machine est plus net,
mais les pâtes n'en seront pas
meilleures pour autant.

5 Pour réaliser les tagliatelles
à la main, replier en trois la pâte
finement étalée et découper de
longues bandes minces d'environ
1 cm de largeur.

6 Porter une casserole d'eau
à ébullition, ajouter 1 cuillerée
à soupe d'huile et les pâtes. Faire cuire
2 à 3 minutes, al dente. Bien égoutter.

7 Mélanger le beurre, l'ail
et le persil. Incorporer aux pâtes
et servir immédiatement en poivrant
généreusement.

2

2

3

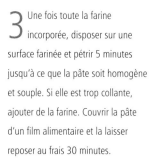

tagliarini au gorgonzola

4 personnes

2 cuil. à soupe de beurre

225 g de gorgonzola,
    grossièrement émietté

150 ml de crème fraîche épaisse

2 cuil. à soupe de vin blanc sec

1 cuil. à café de maïzena

4 brins de sauge fraîche, finement
    hachés

400 g de tagliarini

2 cuil. à soupe d'huile d'olive

sel et poivre blanc

1 brin de sauge sauvage,
    en accompagnement

1 Dans une casserole à fond épais,
faire fondre le beurre, y incorporer
175 g du fromage et le faire fondre
à feu doux 2 minutes.

2 Ajouter la crème, le vin
et la maïzena et battre à l'aide
d'un fouet jusqu'à incorporation
complète des ingrédients.

3 Incorporer la sauge, saler
et poivrer. Porter le mélange
à ébullition à feu doux sans cesser
de battre pour faire épaissir. Retirer
du feu et réserver pendant la cuisson
des pâtes.

4 Porter à ébullition une casserole
d'eau légèrement salée, verser
les tagliarini avec 1 cuillerée à soupe
de l'huile d'olive et laisser cuire
8 à 10 minutes, pour que les pâtes
soient tendres. Les égoutter
et y mélanger le reste d'huile d'olive.
Verser les pâtes dans un plat
et réserver au chaud.

5 Réchauffer la sauce à feu doux,
sans cesser de battre.
À l'aide d'une cuillère, verser la sauce
au gorgonzola sur les pâtes, parsemer
du reste de fromage et servir avec
un brin de sauge fraîche.

CONSEIL

Le gorgonzola est l'un des plus
vieux fromages persillés du
monde. À l'achat, vérifiez qu'il est
bien crémeux et jaunâtre, aux
veinures vertes. L'arôme doit être
riche, piquant mais il ne doit pas
avoir une odeur aigre.

fettuccine all'Alfredo

4 personnes

2 cuil. à soupe de beurre

200 ml de crème fraîche épaisse

450 g de fettuccine fraîches

sel et poivre

90 g de parmesan frais râpé, un peu

plus en accompagnement

1 pincée de noix muscade

fraîchement râpée

1 brin de persil plat frais, en garniture

VARIANTE

Ce plat traditionnel romain est
servi avec des lanières de jambon
et des petits pois frais. Ajoutez
225 g de petits pois cuits et 175 g
de jambon avec le parmesan.

1 Mettre le beurre et 150 ml de crème dans une casserole et porter à ébullition à feu moyen. Baisser le feu et laisser mijoter à feu doux environ 1 à 2 minutes. La crème doit avoir légèrement épaissi.

2 Porter à ébullition une casserole d'eau légèrement salée, y verser les fettuccine et laisser cuire 2 à 3 minutes, jusqu'à ce qu'elles soient al dente. Égoutter les pâtes, remettre dans la casserole et napper de sauce à la crème.

3 À feu doux et à l'aide d'une cuillère en bois, remuer les fettuccine dans la sauce afin de bien les en enrober.

4 Ajouter le reste de crème, le parmesan et la noix muscade, saler et poivrer. Bien remuer pour enrober les pâtes en continuant de faire chauffer à feu doux.

5 Verser les fettuccine dans un plat chaud et garnir avec le brin de persil plat. Servir immédiatement, accompagné de parmesan râpé.

rotelle à la sauce épicée italienne

4 personnes

200 ml de sauce au vin rouge
italien (*voir* page 96)

4 cuil. à soupe d'huile d'olive

3 gousses d'ail, hachées

2 piments rouges frais, émincés

1 piment vert frais, émincé

400 g de rotelle sèches

sel et poivre

1 Faire la sauce au vin rouge italien (*voir* page 96).

2 Faire chauffer 4 cuillerées à soupe d'huile dans une casserole et faire revenir 3 minutes l'ail et les piments.

3 Incorporer la sauce au vin rouge, saler, poivrer et laisser mijoter 20 minutes.

4 Porter à ébullition une casserole d'eau salée. Ajouter les pâtes et l'huile restante, faire cuire 8 minutes, al dente. Égoutter.

5 Mélanger les rotelle à la sauce, disposer dans un plat chaud et servir.

spaghetti olio e aglio

4 personnes

125 ml d'huile d'olive

3 gousses d'ail, hachées

450 g de spaghettis frais

3 cuil. à soupe de persil frais
grossièrement haché

sel et poivre

1 Réserver 1 cuillerée à soupe d'huile d'olive et faire chauffer le reste dans une casserole. Ajouter l'ail et une pincée de sel, et faire revenir à feu doux, sans cesser de remuer, jusqu'à ce qu'il soit doré. Il est impératif que l'ail ne brûle pas car son arôme serait altéré.

2 Pendant ce temps, porter à ébullition une grande casserole d'eau légèrement salée. Ajouter les spaghettis et l'huile restante et cuire les pâtes al dente 2 à 3 minutes.

Égoutter soigneusement et remettre dans la casserole.

3 Ajouter l'ail et le jus de cuisson dans les pâtes et bien mélanger. Saler, poivrer, ajouter le persil et bien mélanger.

4 Transférer les spaghettis dans un plat de service chaud et servir immédiatement.

penne aux moules frites

4 à 6 personnes

400 g de penne sèches
125 ml d'huile d'olive
1 cuil. à café de gros sel
450 g de moules, cuites
    et sans coquille
90 g de farine
100 g de tomates séchées, coupées
    en lanières
2 cuil. à soupe de feuilles de basilic
    frais hachées
sel et poivre
GARNITURE
1 citron, coupé en fines rondelles
feuilles de basilic frais

VARIANTE

Vous pouvez remplacer les moules par des palourdes. Si vous choisissez des palourdes vivantes, utilisez les plus petites variétés.

---

1 Porter à ébullition une casserole d'eau légèrement salée. Ajouter les penne et 1 cuillerée à soupe d'huile d'olive. Faire cuire al dente.

2 Égoutter les pâtes et les mettre dans un plat chaud. Réserver au chaud.

3 Saupoudrer les moules de gros sel. Saler et poivrer la farine, la verser dans une jatte et passer les moules dedans jusqu'à ce qu'elles soient bien farinées.

4 Faire chauffer l'huile restante dans une poêle et faire dorer les moules sans cesser de remuer.

5 Mélanger les moules et les penne, et parsemer de tomates séchées et de basilic. Garnir avec les rondelles de citron et les feuilles de basilic, et servir.

CONSEIL

Les tomates séchées sont utilisées depuis longtemps dans les pays méditerranéens, mais leur usage dans les autres pays est très récent. Elles sont séchées, puis conservées dans l'huile. Elles ont un goût concentré, presque rôti, et une texture dense. Il faut les égoutter et les concasser ou les couper en lanières pour les utiliser.

tagliatelles à la sauce tomate épicée

4 personnes

675 g de tagliatelles fraîches vertes
et blanches ou 350 g de sèches

50 g de beurre

1 oignon, finement émincé

1 gousse d'ail, hachée

2 petits piments rouges,
épépinés et émincés

450 g de tomates fraîches,
mondées, épépinées et coupées
en dés

2 cuil. à soupe de concentré
de tomates

200 ml de bouillon de légumes

1 cuil. à café de sucre

sel et poivre

1 Faire fondre le beurre dans une casserole. Ajouter l'oignon et l'ail, et faire revenir 3 à 4 minutes, jusqu'à ce qu'ils soient tendres.

2 Ajouter les piments et laisser cuire 2 minutes.

3 Ajouter les tomates et le bouillon, réduire le feu et laisser mijoter 10 minutes en remuant.

4 Verser la sauce dans un robot et mixer 1 minute jusqu'à consistance homogène. À défaut de mixeur, passer la sauce au chinois en écrasant les ingrédients solides.

5 Remettre la sauce dans la casserole et ajouter le concentré de tomates, le sucre, le sel et le poivre. Réchauffer à feu doux jusqu'à ce qu'elle soit très chaude.

6 Cuire les tagliatelles dans l'eau bouillante selon les instructions figurant sur le paquet, al dente. Bien les égoutter et répartir dans des assiettes. Servir avec la sauce tomate.

pâtes aux brocolis et fromage

4 personnes

300 g de tagliatelles tricolores

225 g de brocolis, en petites
   fleurettes

350 g de mascarpone

125 g de bleu, coupé en cubes

1 cuil. à soupe d'origan frais haché

25 g de beurre

sel et poivre

4 branches d'origan frais,
   en décoration

parmesan frais râpé, en garniture

1 Porter à ébullition une grande
casserole d'eau légèrement salée
à feu moyen. Ajouter les pâtes et faire
cuire 8 à 10 minutes, al dente.

2 Porter à ébullition une grande
casserole d'eau légèrement salée
à feu moyen. Ajouter les brocolis
et porter de nouveau à ébullition. Ne
pas laisser longtemps pour qu'ils
restent bien verts et croquants.

3 Dans une casserole, faire fondre
ensemble le mascarpone et le bleu
à feu très doux. Incorporer l'origan
haché. Saler et poivrer.

4 Égoutter les pâtes et les verser
dans la casserole. Ajouter le
beurre. Remuer avec soin pour bien
enrober les pâtes. Égoutter
soigneusement les brocolis et les
incorporer aux pâtes en sauce.
Mélanger en remuant délicatement.

5 Disposer les pâtes dans des
assiettes chaudes et garnir de
brins d'origan frais. Servir accompagné
de parmesan.

59

penne à la courge butternut

4 personnes

2 cuil. à soupe d'huile d'olive

1 gousse d'ail, hachée

55 g de chapelure

500 g de courge butternut, pelée
et épépinée

8 cuil. à soupe d'eau

500 g de penne frais

1 cuil. à soupe de beurre

1 oignon, émincé

115 g de jambon blanc, coupé
en lanières

200 ml de crème légère

55 g de gruyère râpé (ou cheddar)

2 cuil. à soupe de persil frais haché

sel et poivre

CONSEIL

Si la courge est trop grosse, faire
blanchir le surplus avec un peu
d'eau 4 minutes au micro-ondes à
puissance maximale dans un
récipient couvert. Laissez refroidir,
égouttez et congelez dans un sac
de congélation. Elle se conservera
jusqu'à 3 mois.

1 Mélanger l'huile, l'ail et la
chapelure et étaler sur une assiette.
Faire cuire 4 à 5 minutes au micro-ondes
à puissance maximale en remuant toutes
les minutes, jusqu'à ce que le mélange
soit croustillant et commence à dorer.
Sortir du four et réserver.

2 Émincer la courge et la placer
dans une terrine avec la moitié de
l'eau. Couvrir et cuire 8 à 9 minutes au
micro-ondes à puissance maximale en
remuant. Laisser refroidir 2 minutes.

3 Placer les pâtes dans une grande
terrine, saler légèrement et
recouvrir d'eau bouillante plus 2,5 cm.
Couvrir et faire cuire 5 minutes au
micro-ondes à puissance maximale en
remuant une fois, jusqu'à ce que
les pâtes soient al dente. Laisser gonfler
couvert 1 minute et égoutter.

4 Placer le beurre et l'oignon
dans un plat. Couvrir et placer
3 minutes au micro-ondes à puissance
maximale.

5 Écraser grossièrement la courge
à la fourchette. Ajouter l'oignon,
les pâtes, la crème, le fromage, le
persil et le reste d'eau. Saler et poivrer
généreusement. Bien mélanger, couvrir,
et faire cuire 4 minutes au micro-ondes

à puissance maximale, jusqu'à ce que
le mélange soit bien chaud.

6 Verser les pâtes dans de grandes
assiettes chaudes et servir
saupoudré de chapelure à l'ail grillée.

pâtes fraîches au pesto

4 personnes

une quarantaine de feuilles
de basilic frais, lavées et séchées

3 gousses d'ail, hachées

25 g de pignons

50 g de parmesan, finement râpé

2 à 3 cuil. à soupe d'huile d'olive
vierge extra

sel et poivre

650 g de pâtes fraîches
ou 350 g de pâtes sèches

1 Rincer les feuilles de basilic et les sécher avec du papier absorbant.

2 Pour le pesto, mettre dans un mixeur, le basilic, les pignons, l'ail et le parmesan râpé et travailler 30 secondes jusqu'à consistance homogène, ou piler les ingrédients dans un mortier.

3 Avec un mixeur, laisser le moteur tourner et ajouter l'huile d'olive progressivement ; à la main, ajouter l'huile goutte à goutte en fouettant vivement. Saler et poivrer.

4 Cuire les pâtes dans de l'eau bouillante selon les instructions figurant sur le paquet, jusqu'à ce qu'elles soient cuites al dente. Égoutter.

5 Transférer les pâtes dans un plat de service et servir chaud avec le pesto.

1

2

3

fettuccine aux olives, à l'ail et aux noix

4 à 6 personnes

2 tranches épaisses de pain de mie complet, croûte enlevée

300 ml de lait

275 g de cerneaux de noix

2 gousses d'ail, hachées

115 g d'olives noires, dénoyautées

60 g de parmesan, fraîchement râpé

8 cuil. à soupe d'huile d'olive vierge extra

150 ml de crème fraîche épaisse

460 g de fettuccine frais

sel et poivre

2 ou 3 cuil. à soupe de persil frais haché

1 Mettre le pain dans un plat, arroser avec le lait et laisser reposer jusqu'à ce que le liquide ait été absorbé.

2 Disposer les cerneaux de noix sur une plaque à pâtisserie et faire dorer 5 minutes sous un gril préchauffé à 190 °C (th. 6-7). Laisser refroidir.

3 Mettre le pain, les noix, l'ail, les olives, le parmesan et 6 cuillerées à soupe d'huile d'olive dans un robot de cuisine et réduire le tout en purée. Saler, poivrer et incorporer la crème.

4 Porter à ébullition une grande casserole d'eau légèrement salée. Ajouter les fettuccine et 1 cuillerée à soupe de l'huile restante, et faire cuire les pâtes al dente 2 à 3 minutes. Égoutter les fettuccine et leur incorporer l'huile d'olive restante.

5 Répartir les fettuccine dans des assiettes et napper de sauce. Garnir de persil et servir immédiatement.

63

spaghettis au saumon fumé

4 personnes

450 g de spaghettis de semoule
de blé noir secs
1 cuil. à soupe d'huile d'olive
feuilles de coriandre
ou de persil frais
90 g de feta, égouttée et émiettée
300 ml de crème fraîche épaisse
150 ml de whisky ou de cognac
125 g de saumon fumé
1 pincée de poivre de Cayenne
poivre noir
2 cuil. à soupe de coriandre
ou de persil frais haché,
en garniture

CONSEIL

Servez ce plat riche et onctueux
avec une salade verte
assaisonnée au citron.

---

1 Porter à ébullition une casserole d'eau légèrement salée. Ajouter les spaghettis et 1 cuillerée à soupe d'huile d'olive, et faire cuire al dente. Égoutter et remettre dans la casserole avec l'huile restante. Couvrir, réserver et tenir au chaud.

2 Verser la crème fraîche dans une petite casserole et faire chauffer, mais sans laisser bouillir. Verser le whisky ou le cognac dans une autre petite casserole et faire chauffer, mais sans laisser bouillir. Retirer les deux casseroles du feu et mélanger la crème fraîche et le whisky ou le cognac chauds.

3 Couper le saumon en fines lanières et l'ajouter à la sauce. Assaisonner avec le poivre noir et le poivre de Cayenne. Juste avant de servir, incorporer la coriandre ou le persil frais.

4 Mettre les spaghettis dans un plat chaud, verser la sauce dessus et bien mélanger à l'aide de 2 grandes fourchettes. Parsemer de feta, garnir avec les feuilles de coriandre ou de persil, et servir immédiatement.

pâtes à la sicilienne

4 personnes

450 g de tomates, coupées en deux

25 g de pignons

50 g de raisins secs

50 g de filets d'anchois, égouttés et
coupés en deux dans la longueur

2 cuil. à soupe de concentré
de tomates

675 g de penne frais
ou 350 g de secs

CONSEIL

Si vous faites des pâtes fraîches,
n'oubliez pas que la pâte est plus
malléable quand elle n'est
pas froide. Ne la pétrissez
pas sur une plaque de marbre.

1 Cuire les tomates sous un gril préchauffé 10 minutes. Laisser tiédir puis, lorsqu'il est possible de les tenir, les monder et couper la chair en dés.

2 Mettre les pignons sur une plaque de cuisson et passer sous le gril préchauffé 2 à 3 minutes.

3 Faire tremper les raisins 20 minutes dans un bol d'eau chaude. Égoutter soigneusement.

4 Mettre les tomates, les pignons et les raisins dans une petite casserole et chauffer doucement.

5 Ajouter les anchois et le concentré de tomates, et laisser chauffer encore 2 à 3 minutes.

6 Cuire les pâtes dans une casserole d'eau bouillante selon les instructions figurant sur le paquet ou al dente. Bien égoutter.

7 Transférer les pâtes dans un plat et servir avec la sauce piquante sicilienne.

rigatoni farcis au thon et à la ricotta

4 personnes

beurre, pour graisser

450 g de rigatoni secs

1 cuil. à soupe d'huile d'olive

225 g de parmesan, râpé

200 g de miettes de thon
en boîte, égouttées

225 g de ricotta

125 ml de crème fraîche épaisse

125 g de tomates séchées,
égouttées et coupées
en lanières

sel et poivre

Disposer côte à côte les rigatoni farcis dans le plat.

4 Pour la sauce, mélanger la crème fraîche et le parmesan, saler poivrer. Étaler la sauce sur les rigatoni et poser les tomates séchées, par-dessus, en croisillons.

5 Faire cuire au four préchauffé, 20 minutes à 210 °C (th. 7). Servir chaud, directement dans le plat.

1 Beurrer légèrement un plat à gratin.

2 Porter à ébullition une casserole d'eau légèrement salée. Ajouter les rigatoni et l'huile d'olive, et faire cuire 8 à 10 minutes, al dente. Égoutter et laisser les pâtes refroidir jusqu'à ce qu'elles puissent être manipulées.

3 Dans une terrine, mélanger le thon et la ricotta jusqu'à obtention d'une préparation souple. Remplir une poche à douille du mélange et farcir les rigatoni.

fettucine aux épinards et aux anchois

4 personnes

900 g de jeunes feuilles d'épinards
    frais

400 g de fettuccine sèches

6 cuil. à soupe d'huile d'olive

3 cuil. à soupe de pignons

3 gousses d'ail, hachées

8 filets d'anchois en boîte, égouttés
    et hachés

sel

CONSEIL

Si vous êtes pressé, vous pouvez
utiliser des épinards surgelés.
Il suffit de les faire décongeler
et de bien les égoutter. Coupez
ensuite les feuilles en lanières
et ajoutez-les à la préparation
avec les anchois à l'étape 4.

1 Équeuter les feuilles d'épinards, les rincer et les mettre dans une casserole sans autre eau que celle restée sur les feuilles après les avoir lavées. Couvrir et laisser cuire à feu vif en secouant la casserole de temps en temps. Les feuilles doivent être flétries, sans perdre leur couleur. Égoutter et réserver au chaud.

2 Porter à ébullition une casserole d'eau légèrement salée, y verser les fettuccine et 1 cuillerée à soupe de l'huile et cuire 8 à 10 minutes. Les pâtes doivent être al dente.

3 Pendant ce temps, faire chauffer 4 cuillerées à soupe d'huile dans une casserole et faire dorer les pignons. Réserver.

4 Mettre l'ail dans la casserole et le faire revenir jusqu'à ce qu'il soit doré. Ajouter les anchois et les épinards, et cuire 2 à 3 minutes sans cesser de remuer. La préparation doit être bien chaude. Remettre les pignons dans la casserole.

5 Égoutter les fettuccine, y mélanger le reste d'huile puis les mettre dans un plat chaud. À l'aide d'une cuillère, répartir la sauce par-dessus, remuer légèrement et servir.

spaghettis au thon sauce persillée

4 personnes

500 g de spaghettis

25 g de beurre

4 brins de persil frais, en garniture

SAUCE

200 g de thon au naturel en boîte,
  égoutté

55 g d'anchois en saumure,
  égouttés

250 ml d'huile d'olive

2 cuil. à soupe de feuilles de persil
  frais grossièrement haché

150 ml de crème fraîche

sel et poivre

1 Porter à ébullition une grande casserole d'eau légèrement salée à feu moyen. Ajouter les spaghettis et faire cuire al dente, 8 à 10 minutes ou selon les instructions figurant sur le paquet. Égoutter, reverser dans la casserole, ajouter le beurre, mélanger, couvrir et réserver au chaud.

2 Pour préparer la sauce, enlever les arêtes du thon et l'émietter avec deux fourchettes. Mettre les miettes de thon dans un robot de cuisine avec les anchois, l'huile et le persil. Réduire en purée. Ajouter la crème fraîche et mixer quelques secondes pour mélanger. Saler et poivrer.

3 Faire réchauffer la casserole de pâtes quelques minutes à feu moyen.

4 Napper les pâtes de sauce et mélanger rapidement avec deux cuillères. Verser dans de grandes assiettes de service et garnir de brins de persil. Servir immédiatement.

salade de pâtes au hareng

4 personnes

250 g de conchiglie

5 cuil. à soupe d'huile d'olive

400 g de rollmops ou filets
de hareng au vinaigre

6 pommes de terre, cuites à l'eau

2 grosses pommes à cuire

2 jeunes frisées

2 jeunes betteraves

4 œufs, durs

6 oignons au vinaigre

6 gros cornichons au vinaigre

2 cuil. à soupe de câpres

3 cuil. à soupe de vinaigre
à l'estragon

sel et poivre

1 Porter à ébullition de l'eau salée, y verser les pâtes avec 1 cuillerée à soupe d'huile d'olive et les cuire al dente. Égoutter, refroidir à l'eau courante et égoutter de nouveau.

2 Couper le hareng, les pommes de terre, les pommes, les frisées et les betteraves en petits morceaux et mettre dans un saladier.

3 Verser les pâtes dans le saladier. Mélanger doucement les ingrédients, en salant et en poivrant.

CONSEIL

Conservez cette salade, sans assaisonnement, dans un récipient au réfrigérateur.

4 Écaler les œufs durs puis les couper en tranches. Garnir de tranches d'œufs, d'oignons, de cornichons et de câpres. Arroser avec le reste d'huile d'olive et du vinaigre d'estragon. Saler et poivrer.

spaghettis aux anchois et au pistou

4 personnes

90 ml d'huile d'olive

2 gousses d'ail, hachées

60 g de filets d'anchois
en boîte, égouttés

450 g de spaghettis secs

2 cuil. à soupe d'origan frais
finement haché

90 g de parmesan râpé, un peu plus
en accompagnement (facultatif)

sel et poivre

2 brins d'origan frais, en garniture

60 g de pistou prêt à l'emploi

CONSEIL

Si vous trouvez les filets d'anchois
en boîte trop salés, faites-les
tremper 5 minutes dans du lait
froid, égouttez-les et essuyez-les
avec du papier absorbant.

VARIANTE

Pour une version végétarienne
de ce plat, remplacez les anchois
par des tomates séchées
égouttées.

1 Faire chauffer 1 cuillerée
à soupe d'huile d'olive dans
une casserole. Ajouter l'ail et faire
revenir 3 minutes.

2 Ajouter les anchois et faire cuire
sans cesser de remuer, jusqu'à
ce que les anchois se soient délités.

3 Porter à ébullition une casserole
d'eau légèrement salée. Ajouter
les spaghettis et l'huile restante, et
cuire 8 à 10 minutes, al dente.

4 Ajouter le pistou et l'origan
aux anchois, et assaisonner avec
du poivre noir.

5 Égoutter les spaghettis à l'aide
d'une écumoire et les mettre
dans un plat chaud. Verser le pistou
sur les spaghettis et parsemer
de parmesan râpé.

6 Garnir avec les brins d'origan
et servir éventuellement
avec le supplément de fromage.

salade de pâtes aux choux rouge et blanc

4 personnes

260 g de macaronis secs

4 cuil. à soupe d'huile d'olive

1 chou rouge, coupé en lanières

1 chou blanc, coupé en lanières

2 grosses pommes, coupées en dés

8 cuil. à soupe de vinaigre de vin

250 g de lard ou de jambon fumé cuit, coupé en dés

1 cuil. à soupe de sucre

sel et poivre

VARIANTE

Assaisonnez avec 4 cuillerées à soupe d'huile d'olive, 4 de vin rouge, 4 de vinaigre de vin rouge et 1 de sucre.

---

1 Porter à ébullition une casserole d'eau légèrement salée. Ajouter les pâtes et 1 cuillerée à soupe d'huile d'olive, et faire cuire al dente. Égoutter et rafraîchir à l'eau courante. Égoutter de nouveau et réserver.

2 Porter à ébullition une casserole d'eau légèrement salée. Ajouter le chou rouge et faire cuire 5 minutes. Bien égoutter et laisser refroidir.

3 Porter à ébullition une casserole d'eau légèrement salée. Ajouter le chou blanc et faire cuire 5 minutes. Bien égoutter et laisser refroidir.

4 Mélanger dans une jatte les pâtes, le chou rouge et les pommes. Mélanger dans une autre jatte le chou blanc et le lard ou le jambon.

5 Mélanger dans un petit bol l'huile restante, le vinaigre et le sucre, saler et poivrer. Verser la sauce sur les deux préparations au chou, mélanger et servir.

pâtes au poulet

2 personnes

125 à 150 g de pâtes fantaisies,
   torsades ou coudes, par exemple
2 cuil. à soupe de mayonnaise
2 cuil. à café de pesto prêt à
   l'emploi
1 cuil. à soupe de crème épaisse
   ou de fromage frais
175 g de viande de poulet cuite,
   sans peau et désossée
1 ou 2 branches de céleri
125 g de raisin noir, de préférence
   sans pépins
1 grosse carotte
sel et poivre
feuilles de céleri, en garniture
VINAIGRETTE
1 cuil. à café de vinaigre de vin
1 cuil. à soupe d'huile d'olive
   vierge extra
sel et poivre

1 Préparer une vinaigrette
onctueuse en battant au fouet
les différents ingrédients dans
un bol.

2 Porter à ébullition une grande
casserole d'eau légèrement salée
à feu moyen. Ajouter les pâtes et les
faire cuire al dente, 8 à 10 minutes.
Égoutter, rincer à l'eau froide et
égoutter de nouveau. Verser dans
une terrine avec la vinaigrette.
Mélanger immédiatement et laisser
refroidir.

3 Mélanger dans un bol la
mayonnaise, le pesto et le
fromage. Saler et poivrer.

4 Couper le poulet en fines lamelles.
Couper le céleri en biais en fines
tranches. Réserver quelques grains
de raisin pour la garniture, couper
les autres en deux et les épépiner.
Couper la carotte en julienne fine.

5 Ajouter le poulet, le céleri,
la carotte et la mayonnaise
aux pâtes froides. Bien mélanger
pour enrober les pâtes. Goûter et
rectifier l'assaisonnement.

6 Disposer les pâtes sur deux
assiettes de service. Garnir de
grains de raisin et de feuilles de céleri,
et servir.

75

salade niçoise aux conchigliette

4 personnes

350 g de conchigliette sèches

115 g de haricots verts

50 g de filets d'anchois en boîte,
 égouttés

25 ml de lait

4 œufs, durs

2 petites laitues fraîches

450 g de tomates rondes
 ou 3 grosses tomates rondes

225 g de thon en boîte, égoutté

115 g d'olives noires, dénoyautées

sel

VINAIGRETTE

50 ml d'huile d'olive vierge extra

25 ml de vinaigre de vin blanc

1 cuil. à café de moutarde
 à l'ancienne

sel et poivre

CONSEIL

Il est plus facile de faire
la vinaigrette dans un bocal.
Versez-y les ingrédients, vissez
le couvercle et agitez bien
pour émulsionner.

---

1 Porter à ébullition une casserole d'eau légèrement salée. Ajouter les pâtes et l'huile d'olive, et faire cuire al dente. Égoutter et rafraîchir à l'eau courante.

2 Porter à ébullition une casserole d'eau salée. Ajouter les haricots et cuire 10 à 12 minutes, al dente. Égoutter, rafraîchir à l'eau courante, égoutter et réserver.

3 Mettre les anchois dans une jatte, verser le lait et réserver 10 minutes. Pendant ce temps, découper les laitues en grands morceaux. Blanchir les tomates 1 à 2 minutes, les égoutter et les peler puis concasser grossièrement la chair. Écaler les œufs et les couper en quartiers. Couper le thon en gros morceaux.

4 Égoutter les anchois et les pâtes. Mettre dans un grand saladier tous les ingrédients de la salade, les haricots et les olives, et mélanger délicatement.

5 Pour la vinaigrette, mélanger en battant tous les ingrédients et réserver au réfrigérateur. Juste avant de servir, verser la vinaigrette sur la salade.

salade de pâtes au bœuf

4 personnes

450 g de rumsteck,
    en un seul morceau

450 g de fusilli secs

5 cuil. à soupe d'huile d'olive

2 cuil. à soupe de citron vert

4 oignons verts, émincés

2 cuil. à soupe de sauce de poisson
    thaïlandaise (*voir* « conseil »)

2 cuil. à café de miel liquide

1 concombre, épluché et coupé
    en morceaux de 2,5 cm

3 tomates, coupées en quartiers

3 cuil. à café de menthe fraîche
    finement hachée

sel et poivre

CONSEIL

La sauce de poisson thaïlandaise,
(nam pla), au goût très fort, est
faite avec des anchois salés. On en
trouve dans certains supermarchés
et dans les épiceries asiatiques.

1 Saler et poivrer le rumsteck. Le
faire sauter à la poêle 4 minutes
de chaque côté. Laisser reposer
5 minutes, puis couper en tranches
fines perpendiculairement à la fibre.

2 Porter à ébullition une casserole
d'eau légèrement salée. Ajouter
les fusilli et 1 cuillerée à soupe d'huile
d'olive, et faire cuire al dente. Égoutter,
rafraîchir à l'eau courante et égoutter
de nouveau. Mélanger les pâtes
et l'huile restante.

3 Mélanger le jus de citron,
la sauce de poisson et le miel
dans une casserole, et faire cuire
2 minutes à feu moyen.

4 Ajouter les oignons verts,
le concombre, les tomates
et la menthe, puis le rumsteck,
et bien mélanger. Saler.

5 Mettre les fusilli dans un grand
plat chaud, et poser la garniture
dessus. Servir tiède ou froid.

salade à la saucisse épicée

4 personnes

125 g de pâtes fantaisie
   (rotelle, par exemple)
2 cuil. à soupe d'huile d'olive
1 oignon moyen, émincé
2 gousses d'ail, hachées
1 petit poivron jaune, épépiné
   et taillé en allumettes
175 g de rondelles de saucisse
   épicée, chorizo, pepperoni italien
   ou salami, sans peau et en
   rondelles
2 cuil. à soupe de vin rouge
1 cuil. à soupe de vinaigre
   de vin rouge
mesclun réfrigéré
sel

VARIANTE

De nombreuses saucisses
ou saucissons s'accordent à ce plat,
dont le chorizo, les pepperoni
italiens au piment, fenouil et épices,
et les différents salamis, souvent
parfumés à l'ail et au poivre.

1 Porter à ébullition une casserole
d'eau légèrement salée à feu
moyen. Ajouter les pâtes et faire cuire
al dente, selon les instructions figurant
sur le paquet. Égoutter et réserver.

2 Faire chauffer l'huile à feu moyen
dans une sauteuse. Ajouter
l'oignon et faire revenir jusqu'à ce qu'il
soit translucide. Ajouter l'ail, le poivron
jaune et les rondelles de saucisse. Faire
revenir 3 à 4 minutes en remuant
de temps en temps.

3 Ajouter le vin, le vinaigre
et les pâtes dans la sauteuse,
bien mélanger et porter à ébullition
quelques secondes à feu moyen.

4 Répartir le mesclun bien froid
sur les assiettes de service
et y disposer le mélange de pâtes
et de saucisse chaud. Servir.

salade de penne au chèvre

4 personnes

250 g de penne

5 cuil. à soupe d'huile d'olive

1 trévise, coupée en morceaux

1 laitue, coupée en morceaux

90 g de noix, hachées

2 poires mûres, évidées et en dés

1 brin de basilic frais

1 botte de cresson ou de jeunes
feuilles d'épinards, hachées

2 cuil. à soupe de jus de citron

3 cuil. à soupe de vinaigre de vin
blanc

4 tomates, coupées en quatre

1 petit oignon, émincé

1 grosse carotte, râpée

250 g de fromage de chèvre, coupé
en dés

sel et poivre

CONSEIL

La France produit plus de
90 variétés de fromage de
chèvre. Vous n'aurez donc que
l'embarras du choix. Vous
pouvez, selon votre goût, utiliser
n'importe quelle variété pour
préparer cette recette.

1 Porter à ébullition une casserole d'eau salée, y verser les penne avec 1 cuillerée à soupe de l'huile d'olive et cuire al dente. Les égoutter et les rafraîchir à l'eau courante, égoutter de nouveau et réserver.

2 Mettre la trévise et la laitue dans un saladier et bien mélanger. Disposer les pâtes, les noix, les poires, le basilic et le cresson ou les épinards par-dessus.

3 Mélanger le jus de citron avec le reste de l'huile d'olive et le vinaigre dans un verre doseur. Verser le mélange sur la salade et remuer pour bien enrober les feuilles de salade verte.

4 Ajouter ensuite les quartiers de tomates, les rondelles d'oignon, la carotte râpée et les dés de fromage de chèvre. À l'aide de deux fourchettes, remuer le tout pour bien mélanger les ingrédients. Mettre la salade au réfrigérateur environ 1 heure avant de servir.

pâtes en vinaigrette au pesto

6 personnes

225 g de torsades

4 tomates, pelées

55 g d'olives noires

25 g de tomates, séchées à l'huile
  et égouttées

2 cuil. à soupe de pignons grillés

2 cuil. à soupe de parmesan
  fraîchement râpé

1 brin de basilic frais, en garniture

SAUCE PESTO

4 cuil. à soupe de basilic frais haché

1 gousse d'ail, hachée

2 cuil. à soupe de parmesan frais
  râpé

4 cuil. à soupe d'huile d'olive

2 cuil. à soupe de jus de citron

sel et poivre

1 Porter à ébullition une casserole d'eau légèrement salée à feu moyen. Ajouter les pâtes et faire cuire al dente, 8 à 10 minutes ou selon les instructions figurant sur le paquet. Égoutter, rincer à l'eau chaude, égoutter de nouveau et réserver.

2 Mettre dans un bol le basilic, le parmesan, l'ail, l'huile et le jus de citron. Fouetter jusqu'à obtenir une sauce onctueuse. Saler et poivrer.

3 Mettre les pâtes dans une terrine, verser la sauce par-dessus et bien mélanger.

4 Couper les tomates en quartiers. Couper les olives en deux et les dénoyauter. Couper les tomates séchées en lamelles. Ajouter l'ensemble aux pâtes et mélanger.

5 Mettre la préparation dans un plat de service et parsemer de parmesan râpé et de pignons. Garnir avec un brin de basilic frais et servir chaud.

salade de pâtes au fromage

4 personnes

225 g de conchiglie

115 g de cerneaux de noix, coupés
en deux

feuilles de salades variées
(chicorée rouge, scarole,
roquette, mâche et frisée)

225 g de dolcelatte, émietté

sel et poivre

VINAIGRETTE

4 cuil. à soupe d'huile d'olive
vierge extra

2 cuil. à soupe d'huile de noix

2 cuil. à soupe de vinaigre
de vin rouge

1 Porter à ébullition une casserole
d'eau salée, y verser les pâtes
et l'huile d'olive et cuire 8 à 10 minutes,
al dente. Les refroidir à l'eau courante
puis les égoutter. Réserver.

2 Étaler les cerneaux de noix
sur une plaque de four
et les mettre sous le gril chaud
2 à 3 minutes. Laisser refroidir pendant
la préparation de la vinaigrette.

3 Pour faire la vinaigrette, battre
l'huile de noix avec l'huile d'olive
et le vinaigre dans un petit bol,
en salant et poivrant à son goût.

4 Pour composer la salade, disposer
les feuilles de salades variées
dans un grand saladier, verser les pâtes
au centre et les parsemer de fromage.
Juste avant de servir, verser la
vinaigrette par-dessus, parsemer
de cerneaux de noix et remuer le tout
pour enrober les ingrédients de
vinaigrette. Servir.

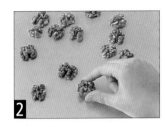

salade de fusilli à l'italienne

4 personnes

2 cuil. à soupe de pignons

175 g de fusilli secs

1 cuil. à soupe d'huile d'olive

6 tomates

225 g de mozzarella

1 gros avocat

2 cuil. à soupe de jus de citron

3 cuil. à soupe de basilic frais haché

brins de basilic frais, en garniture

sel et poivre

VINAIGRETTE

1 pincée de sucre

6 cuil. à soupe d'huile d'olive vierge

2 cuil. à soupe de vinaigre
  de vin blanc

1 cuil. à café de moutarde à l'ancienne

1 Étaler les pignons sur une plaque et les cuire sous un gril préchauffé 1 à 2 minutes. Ils doivent être dorés. Les sortir du four et réserver.

2 Porter à ébullition de l'eau légèrement salée, ajouter les fusilli et les cuire jusqu'à ce qu'ils soient al dente. Égoutter et rafraîchir sous l'eau froide. Égoutter de nouveau et réserver.

3 Couper les tomates et la mozzarella en fines rondelles.

4 Dénoyauter, peler et couper l'avocat en deux, puis en fines tranches dans la longueur. Arroser de jus de citron pour éviter qu'il ne s'oxyde.

5 Pour faire la vinaigrette, battre l'huile avec le vinaigre, la moutarde et le sucre dans un bol. Saler et poivrer.

6 Sur les bords d'un plat, disposer en alternance les rondelles de tomate, de mozzarella et les tranches d'avocat, en les faisant se chevaucher.

7 Mélanger la moitié de la vinaigrette, le basilic haché, du sel et du poivre avec les pâtes. Disposer la salade au centre du plat et arroser avec le reste de vinaigrette. Parsemer de pignons et garnir de brins de basilic frais.

aubergines marinées sur lit de linguine

4 personnes

150 ml de bouillon de légumes

150 ml de vinaigre de vin blanc

2 cuil. à café de vinaigre
balsamique

3 cuil. à soupe d'huile d'olive

450 g d'aubergines, pelées
et coupées en fines rondelles

400 g de linguine sèches

brin d'origan frais

MARINADE

2 cuil. à soupe d'huile vierge extra

2 gousses d'ail, hachées

2 cuil. à soupe d'origan frais haché

2 cuil. à soupe d'amandes grillées
finement hachées

2 cuil. à soupe de poivron rouge
coupé en dés

2 cuil. à soupe de jus de citron vert

zeste râpé et jus d'une orange

sel et poivre

1 Mettre bouillon de légumes,
vinaigre de vin et vinaigre
balsamique dans une casserole,
et porter à ébullition à feu doux.
Ajouter 2 cuillerées à café d'huile
d'olive et le brin d'origan, et faire
mijoter 1 minute environ.

2 Ajouter les aubergines, retirer
du feu et réserver 10 minutes.

3 Pendant ce temps, faire
la marinade. Mélanger dans
une jatte l'huile, l'ail, l'origan frais,
les amandes, le poivron, le jus
de citron vert, le zeste et le jus
de l'orange, du sel et du poivre.

4 Retirer les aubergines
de la casserole à l'aide
d'une écumoire, et bien égoutter.
Mélanger les rondelles d'aubergine
à la marinade, et laisser reposer
12 heures au réfrigérateur.

5 Porter à ébullition une casserole
d'eau salée. Ajouter la moitié
de l'huile restante et les linguine,
et faire cuire jusqu'à ce que les pâtes
soient juste tendres.

6 Égoutter et ajouter l'huile restante
en remuant. Mettre les pâtes
dans un plat avec les rondelles
d'aubergine et la marinade,
et servir.

pâtes à la provençale

4 personnes

225 g de penne

25 g d'olives noires dénoyautées,
    égouttées et hachées

25 g de tomates séchées au soleil,
    trempées, égouttées et hachées

400 g de cœurs d'artichauts
    en boîte, égouttés et coupés en
    deux

1 cuil. à soupe d'huile d'olive

115 g de mini-courgettes,
    épluchées, coupées en rondelles

115 g de tomates cerises, coupées
    en deux

100 g d'un assortiment de mini-
    feuilles de salades

feuilles de basilic en lanières,
    en garniture

sel et poivre

SAUCE

4 cuil. à soupe de purée de tomates

2 cuil. à soupe de yaourt allégé

1 cuil. à soupe de jus d'orange
    sans sucre ajouté

1 petit bouquet de basilic frais, ciselé

1 Faire cuire les penne selon
les instructions figurant sur le
paquet, de préférence al dente.
Égoutter et remettre dans la casserole.
Ajouter en remuant l'huile d'olive, le
sel, le poivre, les olives et les tomates
séchées. Laisser refroidir.

2 Mélanger les artichauts,
les courgettes et les tomates
cerises avec les pâtes. Disposer les
feuilles de salade dans un saladier.

VARIANTE

Vous pouvez ajouter
aux pâtes aux légumes 225 g
de thon en saumure, égoutté
et émietté. Vous pouvez
également utiliser d'autres
formes de pâtes, telles que les
farfalle (papillons) ou les rotelle
(petites roues).

3 Pour faire la sauce, mélanger tous
les ingrédients. Verser sur les
pâtes aux légumes et remuer.

4 Disposer le mélange sur les feuilles
de salade et garnir de basilic.

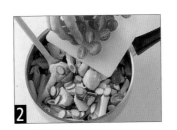

Viandes et volailles

Les pâtes et la viande ou la volaille forment une association très classique et offrent une grande variété de plats, pour composer un dîner familial économique et facile à préparer aussi bien qu'un repas de fête. Ce chapitre contient des recettes appréciées de tous, comme les spaghettis à la bolognaise, les spaghettis aux boulettes de viande italiennes, les lasagne verde ou les cannellonis farcis. Il comprend aussi des variations de thèmes traditionnels, comme les spaghettis à la sicilienne, les pâtes et bœuf au four, et le porc sauté aux pâtes et aux légumes. Il contient enfin toute une série de délicieuses recettes originales. Pourquoi ne pas essayer la longe de veau et fettucine au pample-mousse et aux pétales de rose, les orecchioni et porc à la crème garnis d'œufs de caille, le poulet au homard sur lit de pâtes, ou les lasagnes au faisan ? La préparation de ces plats gastronomiques vous surprendra par sa simplicité.

pasticcio

4 personnes

250 g de fusilli secs

1 cuil. à soupe d'huile d'olive,
pour graisser

4 cuil. à soupe de crème fraîche
épaisse

brins de romarin frais, en garniture

mesclun, en accompagnement

SAUCE

2 cuil. à soupe d'huile d'olive

1 oignon, émincé

1 poivron rouge, évidé, épépiné
et coupé en morceaux

2 gousses d'ail, hachées

600 g de bœuf haché

400 g de tomates concassées
en boîte

125 ml de vin blanc sec

sel et poivre

2 cuil. à soupe de persil frais haché

60 g de filets d'anchois en boîte,
égouttés et coupés en morceaux

GRATIN

300 ml de yaourt nature

3 œufs

1 pincée de noix muscade
fraîchement râpée

40 g de parmesan,
fraîchement râpé

1 Chauffer l'huile dans une poêle et faire revenir 3 minutes l'oignon et le poivron. Ajouter l'ail et cuire 1 minute. Ajouter le bœuf et faire dorer.

2 Ajouter les tomates et le vin, et porter à ébullition. Laisser mijoter 20 minutes, jusqu'à ce que la préparation épaississe. Ajouter en remuant le persil, les anchois, le sel et le poivre.

3 Porter à ébullition une casserole d'eau salée. Ajouter les pâtes et faire cuire al dente. Égoutter et mettre dans un plat. Incorporer la crème fraîche.

4 Pour le gratin, mélanger le yaourt, les œufs et la noix muscade.

5 Huiler un plat à gratin. Mettre la moitié des pâtes, et recouvrir avec la moitié de la sauce. Répéter l'opération, étaler le gratin et parsemer de fromage.

6 Faire cuire au four préchauffé, 25 minutes à 195 °C (th. 6-7), jusqu'à ce que ce soit bien doré. Garnir de romarin et servir avec du mesclun.

lasagne verde

4 personnes

beurre, pour graisser

14 feuilles de lasagnes précuites

850 ml de béchamel (*voir* page 98)

75 g de mozzarella, émiettée

basilic frais (facultatif),

    en garniture

SAUCE

25 ml d'huile d'olive

450 g de bœuf haché

1 gros oignon, émincé

1 branche de céleri, émincée

4 gousses d'ail, hachées

25 g de farine

300 ml de bouillon de bœuf

150 ml de vin rouge

1 cuil. à soupe de persil frais haché

1 cuil. à café de marjolaine

    fraîche hachée

1 cuil. à café de basilic frais haché

2 cuil. à soupe de concentré

    de tomates

sel et poivre

1 Pour la sauce, faire chauffer l'huile d'olive dans une poêle. Ajouter le bœuf haché et le faire dorer en remuant souvent. Ajouter l'oignon, le céleri et l'ail, et faire cuire 3 minutes.

2 Saupoudrer avec la farine et faire cuire 1 minute sans cesser de remuer. Incorporer peu à peu le bouillon et le vin rouge. Saler et poivrer, ajouter le persil, la marjolaine et le basilic. Porter à ébullition, réduire le feu et laisser mijoter 35 minutes. Ajouter le concentré de tomates et laisser mijoter 10 minutes.

3 Beurrer légèrement un plat à gratin. Disposer des feuilles de lasagnes au fond du plat, recouvrir d'une couche de sauce, puis de béchamel. Mettre une autre couche de lasagnes et répéter deux fois l'opération. Finir avec une couche de béchamel. Parsemer de mozzarella émiettée.

4 Faire cuire au four préchauffé, 35 minutes à 195 °C (th. 6 à 7), jusqu'à ce que le dessus soit bien gratiné. Garnir avec du basilic haché (facultatif) et servir.

gratin à l'agneau

4 personnes

1 aubergine, coupée en rondelles

4 cuil. à soupe d'huile d'olive

250 g de fusilli secs

600 ml de béchamel (*voir* page 98)

90 g de cheddar, râpé

beurre, pour graisser

sel et poivre

25 g de parmesan, fraîchement râpé

SAUCE

1 gros oignon, émincé

2 branches de céleri, émincées

2 cuil. à soupe d'huile d'olive

450 g d'agneau haché

1 cuil. à café d'origan séché

3 cuil. à soupe de concentré
    de tomates

150 g de tomates séchées en boîte,
    égouttées et concassées

1 cuil. à soupe de vinaigre
    de vin rouge

150 ml de bouillon de volaille

sel et poivre

1 Saupoudrer les rondelles d'aubergine de sel et laisser dégorger 45 minutes.

2 Pour préparer la sauce, faire revenir l'oignon et le céleri 3 à 4 minutes dans l'huile. Ajouter l'agneau et faire dorer. Incorporer les autres ingrédients et faire cuire 20 minutes.

3 Rincer, égoutter et sécher les aubergines avec du papier absorbant. Faire chauffer 4 cuillerées à soupe d'huile d'olive dans une poêle. Faire revenir les aubergines 4 minutes de chaque côté. Retirer de la poêle et égoutter.

4 Mettre les fusilli et l'huile restante dans une casserole d'eau bouillante salée et faire cuire les pâtes al dente. Égoutter et réserver dans une terrine.

5 Faire chauffer la béchamel à feu doux et incorporer le cheddar. Ajouter la moitié de la sauce dans les pâtes.

6 Disposer des couches de pâtes, de sauce à l'agneau et d'aubergines dans un plat beurré. Napper avec le reste de la sauce au fromage. Parsemer de parmesan et cuire au four préchauffé, 25 minutes à 195 °C (th. 6-7). Servir.

pain de viande fourré

6 personnes

25 g de beurre, un peu plus
   pour graisser
1 petit oignon, émincé
1 petit poivron rouge, évidé,
   épépiné et coupé en morceaux
1 gousse d'ail, hachée
450 g de bœuf haché
25 g de chapelure de pain blanc
1 cuil. à soupe de jus de citron
½ cuil. à café de poivre
   de Cayenne
½ cuil. à café de zeste de citron râpé
2 cuil. à soupe de persil frais haché
90 g de pâtes courtes sèches
   (fusilli ou autres)
250 ml de sauce italienne au
   fromage (*voir* page 7)
4 feuilles de laurier
175 g de lard, sans la couenne
sel et poivre
feuilles de salade, en garniture

1 Faire fondre le beurre dans une casserole, faire revenir oignon et poivron 3 minutes. Incorporer l'ail et faire cuire 1 minute.

2 Écraser la viande à l'aide d'une cuillère en bois jusqu'à ce qu'elle colle. Ajouter la préparation à l'oignon, la chapelure, le poivre, le zeste et le jus de citron, persil, sel et poivre.

3 Porter à ébullition une casserole d'eau salée. Ajouter les pâtes et faire cuire 8 à 10 minutes. Égoutter et mélanger à la sauce au fromage.

4 Beurrer un moule à cake d'une contenance de 1 kg et disposer les feuilles de laurier au fond. Tapisser le fond et les côtés du moule avec les tranches de lard aplaties. Ajouter la moitié de la garniture et lisser la surface. Recouvrir avec le mélange pâtes-sauce au fromage, et mettre le reste de la garniture. Lisser la surface et couvrir de papier d'aluminium.

5 Faire cuire le pain de viande 1 heure au four préchauffé à 180° C (th. 6) (piquer une brochette au centre ; le jus qui s'écoule doit être clair). Vider l'excès de graisse et retourner le pain dans un plat. Garnir avec des feuilles de salade.

boulettes de viande à l'italienne

4 personnes

450 g de tagliarini aux œufs

sel et poivre

1 brin de basilic frais, en garniture

150 g de chapelure

150 ml de lait

12 échalotes, hachées

450 g de viande, hachée

1 cuil. à café de paprika

SAUCE AU VIN ROUGE

30 g de beurre

8 cuil. à soupe d'huile d'olive

225 g de pleurotes

25 g de farine complète

200 ml de bouillon de bœuf

150 ml de vin rouge italien

4 tomates, pelées et concassées

1 cuil. à soupe de concentré
  de tomates

1 cuil. à café de sucre brun

1 cuil. à soupe de basilic frais
  finement ciselé

1 Pour préparer les boulettes, verser la chapelure et le lait dans un bol et laisser tremper 30 minutes.

2 Chauffer dans une poêle la moitié du beurre et de l'huile à feu doux. Faire revenir les champignons 4 minutes. Ajouter la farine et cuire 2 minutes. Verser le bouillon et le vin, et laisser frémir 15 minutes. Ajouter les tomates, le sucre, le concentré de tomates et le basilic. Saler, poivrer et cuire 30 minutes.

3 Mélanger les échalotes, la viande et la chapelure. Saler et poivrer. Façonner 14 boulettes avec le mélange.

4 Faire chauffer le reste d'huile et de beurre dans une poêle. Faire dorer les boulettes uniformément. Disposer dans un plat à gratin et napper avec la sauce. Faire cuire 30 minutes au four préchauffé à 180 °C (th. 6).

5 Porter à ébullition une casserole d'eau légèrement salée à feu moyen. Ajouter les pâtes et faire cuire al dente, 8 à 10 minutes ou selon les instructions du paquet. Égoutter et disposer dans un plat de service. Verser les boulettes et la sauce sur les pâtes, garnir d'un brin de basilic et servir.

tagliatelles au potiron

4 personnes

500 g de potiron ou de butternut,
  épluché et épépiné

2 cuil. à soupe d'huile d'olive

1 oignon, finement émincé

2 gousses d'ail, hachées

4 à 6 cuil. à soupe de persil frais
  haché

1 pincée de noix muscade râpée

environ 250 ml de bouillon
  de poulet ou de légumes

115 g de jambon de Parme

250 g de tagliatelles

150 ml de crème fraîche épaisse

sel et poivre

parmesan, fraîchement râpé,
  en accompagnement

Incorporer la moitié du persil et cuire encore 1 minute.

3 Ajouter le potiron ou le butternut et cuire 2 à 3 minutes. Saler, poivrer et incorporer la muscade.

4 Ajouter la moitié du bouillon, porter à ébullition, couvrir et laisser mijoter 10 minutes, jusqu'à ce que le potiron ou le butternut soient tendres en ajoutant du bouillon si nécessaire.

5 Ajouter le jambon de Parme et faire cuire 2 minutes, en remuant fréquemment.

6 Faire cuire les tagliatelles al dente dans une casserole d'eau bouillante salée. Égoutter et transférer dans un plat de service.

7 Incorporer la crème au potiron, chauffer et verser sur les pâtes. Garnir de persil et servir.

1 Couper le potiron ou le butternut en deux et retirer les graines. Couper la pulpe en dés d'environ 1 cm de côté.

2 Faire chauffer 2 cuillerées à soupe d'huile d'olive dans une grande casserole et faire revenir l'oignon et l'ail à feu doux environ 3 minutes, jusqu'à ce qu'ils soient tendres.

cannellonis à la béchamel

4 personnes

8 cannellonis secs
25 g de parmesan, fraîchement râpé
fines herbes fraîches, en garniture

FARCE

25 g de beurre
300 g d'épinards surgelés,
   décongelés et hachés
115 g de ricotta
25 g de parmesan, fraîchement râpé
60 g de jambon, haché
1 pincée de noix muscade
   fraîchement râpée
2 cuil. à soupe de crème fraîche
   épaisse
2 œufs, légèrement battus
sel et poivre

SAUCE

25 g de beurre
25 g de farine
300 ml de lait
2 feuilles de laurier
1 pincée de noix muscade
   fraîchement râpée

1 Pour la farce, faire fondre
le beurre dans une casserole
et faire sauter les épinards 2 à
3 minutes. Retirer du feu, incorporer
les fromages et le jambon. Ajouter
la noix muscade, saler et poivrer.
Ajouter en battant la crème et les œufs
pour faire une pâte épaisse.

2 Faire cuire les pâtes dans
une casserole d'eau bouillante
salée jusqu'à ce qu'elles soient tendres.
Égoutter et réserver.

3 Pour la sauce, faire fondre
le beurre dans une casserole.
Incorporer la farine et faire cuire
1 minute. Incorporer peu à peu
le lait et les feuilles de laurier, et laisser
mijoter 5 minutes. Ajouter la noix
muscade, le sel et le poivre. Retirer
du feu et enlever le laurier.

4 Mettre la farce dans une poche
à douille et farcir les cannellonis.

5 Étaler un peu de sauce au fond
d'un plat à gratin. Disposer les
cannellonis côte à côte et verser la
sauce restante. Parsemer de parmesan
et faire cuire au four préchauffé,
40 à 45 minutes à 195 °C (th. 6 à 7).
Garnir de fines herbes et servir.

gâteau d'aubergines

4 personnes

150 ml d'huile d'olive,
   un peu plus pour graisser

2 aubergines

350 g de bœuf haché

1 oignon, émincé

2 gousses d'ail, hachées

2 cuil. à soupe de concentré
   de tomates

400 g de tomates concassées en boîte

1 cuil. à café de sauce Worcester

1 cuil. à café de marjolaine
   ou d'origan frais haché,
   ou ½ cuil. à café de marjolaine
   ou d'origan séché

175 g de spaghettis secs

60 g d'olives noires, dénoyautées
   et coupées en rondelles

1 poivron vert, rouge ou jaune,
   évidé, épépiné et coupé
   en morceaux

115 g de parmesan, fraîchement râpé

sel et poivre

1 Huiler un moule à gâteau à fond
amovible de 20 cm, chemiser
avec du papier sulfurisé et badigeonner
d'huile.

2 Couper les aubergines
en rondelles. Les faire revenir
dans un peu d'huile jusqu'à ce qu'elles
soient dorées des deux côtés.
Égoutter sur du papier absorbant.

3 Mettre le bœuf, l'oignon
et l'ail dans une sauteuse, et faire
revenir à feu moyen, jusqu'à ce qu'ils
soient dorés. Ajouter les tomates,
le concentré de tomates, la sauce
Worcester, la marjolaine, le sel et
le poivre. Laisser mijoter 10 minutes.
Ajouter les olives et le poivron,
et cuire 10 minutes.

4 Porter à ébullition une casserole
d'eau salée. Ajouter les spaghettis
et une cuillerée à soupe d'huile d'olive
et faire cuire al dente. Égoutter et
mettre les spaghettis dans une terrine.
Ajouter la préparation à la viande
et le fromage, et mélanger.

5 Tapisser le fond et les parois du
moule à gâteau avec des
rondelles d'aubergine. Ajouter les pâtes
et recouvrir du reste des aubergines.
Faire cuire au four préchauffé,
40 minutes à 210 °C (th. 7). Laisser
reposer 5 minutes, retourner dans un
plat. Retirer le papier sulfurisé, servir.

cannellonis

4 personnes

225 g de viande de bœuf hachée

1 gros oignon rouge, finement émincé

150 g de champignons de Paris,
coupés en petits morceaux

1 gousse d'ail, écrasée

½ cuil. à café de noix muscade
râpée

1 cuil. à café d'herbes de Provence

2 cuil. à soupe de concentré
de tomates

4 cuil. à soupe de vin rouge

12 tubes de cannellonis précuits

sel et poivre

mesclun, en garniture

SAUCE TOMATE

1 oignon rouge, finement émincé

1 grosse carotte, râpée

1 branche de céleri, hachée

1 feuille de laurier

150 ml de vin rouge

400 g de tomates concassées
en boîte

2 cuil. à soupe de concentré
de tomates

1 cuil. à café de sucre en poudre

Sel et poivre

GARNITURE

25 g de copeaux de parmesan frais

1 tomate olivette

1 brin de basilic frais

1 Faire revenir 3 à 4 minutes à feu doux l'oignon, les champignons et la viande dans une poêle antiadhésive. Ajouter la muscade, les épices, les aromates, le concentré de tomates et le vin. Laisser frémir 15 à 20 minutes. Laisser refroidir 10 minutes.

2 Pour la sauce, mettre l'oignon, la carotte, le céleri, le laurier et le vin dans une casserole. Porter à ébullition et laisser frémir 5 minutes. Ajouter les autres ingrédients. Laisser cuire 15 minutes. Enlever la feuille de laurier.

3 Répartir un quart de la sauce dans un plat à gratin. Garnir les cannellonis de farce, les disposer sur la sauce et les napper du reste de sauce. Faire cuire 35 à 40 minutes au four préchauffé à 200 °C (th. 7). Garnir de fromage, de tomate et de basilic. Servir.

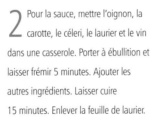

spaghettis à la bolognaise

4 personnes

1 cuil. à soupe d'huile d'olive

1 oignon, finement émincé

2 gousses d'ail, hachées

1 carotte, coupée en dés

1 branche de céleri, hachée

350 g de bœuf maigre, haché

50 g de pancetta ou de lard maigre, coupé en dés

400 g de tomates concassées en boîte

2 cuil. à café d'origan déshydraté

125 ml de vin rouge

2 cuil. à soupe de concentré de tomates

sel et poivre

650 g de spaghettis frais ou 350 g de spaghettis secs

VARIANTE

À l'étape 4, ajoutez 25 g de cèpes séchés, que vous aurez fait tremper 10 minutes dans 2 cuillerées à soupe d'eau chaude.

1 Chauffer l'huile dans une poêle. Ajouter l'oignon et faire revenir 3 minutes.

2 Ajouter l'ail, la carotte, le céleri et la pancetta ou le lard, et faire revenir 3 à 4 minutes, jusqu'à ce qu'ils commencent à dorer.

3 Ajouter le bœuf et cuire à feu vif 3 minutes, jusqu'à ce que la viande soit dorée.

4 Incorporer les tomates, l'origan et le vin rouge et porter à ébullition. Réduire le feu et laisser mijoter environ 45 minutes.

5 Ajouter le concentré de tomates. Saler et poivrer.

6 Cuire les spaghettis dans une casserole d'eau bouillante selon les instructions figurant sur le paquet, jusqu'à ce qu'ils soient cuits mais al dente. Bien égoutter.

7 Transférer les spaghettis dans un plat de service, les napper de sauce bolognaise. Bien mélanger et servir chaud.

bœuf rouge aux épices

4 personnes

625 g d'aloyau ou de culotte de bœuf

2 cuil. à soupe de paprika

2 à 3 cuil. à café de poudre
de piment doux

½ cuil. à café de sel

6 branches de céleri

6 cuil. à soupe de bouillon ou d'eau

2 cuil. à soupe de concentré
de tomates

2 cuil. à soupe de miel liquide

1 cuil. à soupe de sauce Worcester

3 cuil. à soupe de vinaigre de vin

2 cuil. à soupe d'huile de maïs

4 oignons nouveaux, coupés
en biais en rondelles

4 tomates pelées, épépinées
et coupées en rondelles

1 à 2 gousses d'ail, hachées

feuilles de céleri, en garniture

nouilles chinoises cuites,
en accompagnement

1 Couper la viande en lanières
de 1 cm de largeur en travers de
la fibre. Les placer dans une terrine.

2 Mélanger le paprika, le piment
en poudre et le sel. Verser le tout
sur la viande et mélanger jusqu'à
ce qu'elle soit bien enrobée d'épices.
Faire mariner au réfrigérateur au moins
30 minutes.

3 Découper le céleri en tronçons de
5 cm de long, puis en bâtonnets
de 5 mm d'épaisseur.

4 Mélanger le bouillon, le concentré
de tomates, le miel et la sauce
Worcester avec le vinaigre. Réserver.

5 Faire chauffer l'huile à feu vif dans
un wok. Lorsqu'elle est chaude,
y verser les oignons, le céleri, les tomates
et l'ail. Faire revenir 1 minute et ajouter
la viande. Faire revenir 3 à 4 minutes.
Ajouter la sauce quand la viande est bien
saisie et laisser cuire jusqu'à ce qu'elle
soit bien enrobée et grésille.

6 Garnir éventuellement de feuilles
de céleri et servir avec les nouilles.

porc frit épicé

4 personnes

2 gousses d'ail, hachées

3 échalotes

1 morceau de gingembre frais
de 2,5 cm

2 cuil. à soupe d'huile de maïs

500 g de viande de porc maigre,
hachée

1 cuil. à café de sauce de soja épaisse

1 cuil. à soupe de pâte de curry rouge

4 feuilles de lime kafir, séchées

4 tomates olivettes, émincées

2 cuil. à soupe de nuoc mam thaï

3 cuil. à soupe de feuilles
de coriandre hachées

sel et poivre

coriandre fraîche, en garniture

nouilles fines aux œufs cuites,
en accompagnement

1 Faire chauffer l'huile dans un wok à feu moyen. Ajouter l'ail, les échalotes et le gingembre, et faire revenir environ 2 minutes. En remuant, ajouter le porc et faire cuire jusqu'à ce que la viande soit dorée.

2 Incorporer le nuoc mam, la pâte de curry et les feuilles de lime et faire cuire encore 1 à 2 minutes à feu vif.

3 Ajouter les tomates et laisser cuire encore 5 à 6 minutes, en remuant de temps en temps.

4 Ajouter la coriandre, saler et poivrer à son goût. Servir chaud, disposé au centre d'un plat de nouilles aux œufs avec quelques feuilles de coriandre fraîches, en garniture.

tagliatelles aux boulettes de bœuf

4 personnes

500 g de viande de bœuf, hachée

55 g de chapelure

1 gousse d'ail, hachée

2 cuil. à soupe de persil plat frais haché

1 cuil. à café d'origan sec

1 pincée de noix muscade râpée

¼ de cuil. à café de coriandre moulue

55 g de parmesan frais râpé, un peu plus pour servir

2 à 3 cuil. à soupe de lait

farine blanche

3 cuil. à soupe d'huile d'olive

400 g de tagliatelles

30 g de beurre coupé en dés

sel et poivre

mesclun, en accompagnement

SAUCE TOMATE

3 cuil. à soupe d'huile d'olive

2 gros oignons, émincés

2 branches de céleri, détaillées en fines lamelles

2 gousses d'ail, hachées

400 g de tomates concassées en boîte

125 g de tomates séchées à l'huile, égouttées et hachées

2 cuil. à soupe de purée de tomate

1 cuil. à soupe de sucre brun en poudre

150 ml de vin blanc ou d'eau

1 Pour la sauce, faire chauffer l'huile d'olive dans une poêle à feu vif. Faire revenir les oignons et le céleri jusqu'à ce qu'ils soient translucides. Ajouter l'ail et laisser revenir 1 minute. Ajouter les tomates, le concentré de tomates, le sucre et le vin. Saler, poivrer, porter à ébullition et cuire 10 minutes.

2 Pendant ce temps, écraser le bœuf dans une terrine avec une cuillère en bois jusqu'à ce qu'il forme une pâte collante. Incorporer la chapelure, l'ail, les aromates et les épices. Ajouter le parmesan et mouiller avec le lait de manière à obtenir une pâte épaisse. Diviser la pâte en 12. Se fariner légèrement les mains puis façonner 12 boulettes régulières. Faire chauffer l'huile à feu moyen dans une grande poêle. Ajouter les boulettes et les faire revenir jusqu'à ce qu'elles soient uniformément dorées.

3 Verser la sauce sur la viande, réduire le feu et laisser frémir 30 minutes en remuant une ou deux fois. Rajouter un peu d'eau à la sauce si elle réduit trop.

4 Porter à ébullition une casserole d'eau légèrement salée à feu moyen. Ajouter les pâtes et faire cuire al dente, 8 à 10 minutes ou selon les instructions figurant sur le paquet. Égoutter, disposer dans un plat de service, ajouter le beurre et bien mélanger. Disposer les boulettes et la sauce sur les pâtes dans le plat ou sur des assiettes. Servir accompagné de parmesan et de mesclun.

veau napolitain aux tagliatelles

4 personnes

200 g de beurre

4 côtes de veau de 250 g, parées

1 gros oignon, émincé

2 pommes, épluchées, évidées et
émincées

175 g de champignons de Paris

1 cuil. à soupe d'estragon frais
haché

8 grains de poivre noir

1 cuil. à soupe de graines
de sésame

400 g de tagliatelles sèches

100 ml d'huile d'olive vierge extra

175 g de mascarpone, coupé
en petits morceaux

sel et poivre

2 grosses tomates, coupées en deux

feuilles d'un brin de basilic frais

1 Mettre 60 g de beurre dans
une poêle et y faire revenir
les côtes de veau 5 minutes de chaque
côté. Réserver au chaud dans un plat.

2 Faire dorer l'oignon et les pommes,
disposer sur les côtes de veau
et réserver au chaud.

3 Faire revenir les champignons,
l'estragon et le poivre 3 minutes
dans le beurre restant, et parsemer
avec les graines de sésame.

4 Faire cuire les pâtes avec
1 cuillerée à soupe d'huile dans
une casserole d'eau bouillante salée.
Égoutter et transférer dans un plat.

5 Parsemer les pâtes de fromage
et arroser avec l'huile d'olive
restante. Disposer les oignons,
les pommes et la viande sur les pâtes,
puis verser le mélange aux oignons sur
les côtes de veau, ainsi que le jus de
cuisson. Garnir le plat avec les tomates
et le basilic, et mettre au four
préchauffé à 150 °C (th. 5), 5 minutes.

6 Sortir le plat du four et servir dans
quatre assiettes.

longe de veau aux fettucine

4 personnes

450 g de fettucine sèches

6 cuil. à soupe d'huile d'olive

1 cuil. à café d'origan frais haché

1 cuil. à café de marjolaine fraîche
    hachée

170 g de beurre

450 g de longe de veau, émincée

150 ml de bouillon de poisson

150 ml de vinaigre de pétale
    de roses (voir « conseil »)

50 ml de jus de pamplemousse

50 ml de crème fraîche épaisse

sel

GARNITURE

12 grains de poivre rose

12 quartiers de pamplemousse rose

pétales de rose, rincés

CONSEIL

Pour le vinaigre aux pétales de rose,
faites infuser 48 heures les pétales
de 8 roses sans pesticides dans
150 ml de vinaigre de vin blanc.

1 Faire cuire les pâtes avec
1 cuillerée à soupe d'huile d'olive
12 minutes dans une casserole d'eau
bouillante salée. Égoutter et mettre
dans un plat chaud, arroser avec
2 cuillerées à soupe d'huile d'olive et
parsemer d'origan et de marjolaine.

2 Faire chauffer 50 g de beurre avec
l'huile restante dans une poêle,
et cuire le veau 6 minutes. Disposer
sur les pâtes.

3 Verser le vinaigre et le bouillon
dans la poêle et faire cuire à gros
bouillons, jusqu'à réduction des deux
tiers. Ajouter le jus de pamplemousse
et la crème fraîche, et laisser mijoter
4 minutes. Couper le beurre restant en
dés et l'incorporer en fouettant.

4 Verser la sauce autour du veau,
garnir avec des quartiers
de pamplemousse rose, de pétales
de roses et d'herbes fraîches.
Servir immédiatement.

rigatoni au bœuf à la crème

4 personnes

6 cuil. à soupe de beurre

450 g d'aloyau, découpé en fines
   lanières

175 g de champignons de Paris,
   émincés

1 cuil. à café de moutarde

1 pincée de gingembre frais râpé

2 cuil. à soupe de xérès sec

150 ml de crème fraîche épaisse

sel et poivre

4 tranches de pain de mie, grillées,
   coupées en triangles,
   en accompagnement

PÂTES

450 g de rigatoni

2 brins de basilic frais

115 g de beurre

CONSEIL

Les pâtes sèches se conservent
six mois. Gardez-les dans leur
emballage et refermez-le bien
une fois ouvert, ou transférez les
pâtes dans une boîte hermétique.

1 Dans une poêle, faire fondre le beurre et faire revenir le bœuf à feu doux 6 minutes, en remuant souvent. À l'aide d'une écumoire, retirer la viande, la mettre dans un plat à gratin et réserver au chaud.

2 Faire revenir les champignons à la poêle dans le beurre restant, 2 à 3 minutes. Ajouter la moutarde, le gingembre, du sel et du poivre. Faire revenir 2 minutes, ajouter le xérès et la crème et cuire 3 minutes avant de verser la sauce sur le bœuf.

3 Mettre le bœuf au four préchauffé, à 190 °C (th. 6 à 7), et cuire 10 minutes.

4 Porter à ébullition une casserole d'eau légèrement salée, y verser les rigatoni et un brin de basilic. Cuire à gros bouillons 10 minutes. Les pâtes doivent être al dente. Les égoutter puis les mettre dans un plat chaud et y mélanger le beurre. Garnir avec le reste de basilic.

5 Transférer la viande et la sauce dans des assiettes chaudes. Servir accompagné de pâtes et de pain grillé.

nouilles de riz à la chinoise

4 personnes

175 g de nouilles de riz
2 cuil. à soupe d'huile
1 gousse d'ail, hachée
2 petits piments verts, coupés
    en morceaux
150 g de chair à saucisse
    ou de viande de poulet, hachée
1 petit poivron vert, épépiné
    et coupé en petits morceaux
4 feuilles de lime kafir, coupé
    en lanières
1 cuil. à soupe de sauce de soja
    épaisse
1 cuil. à soupe de sauce de soja claire
1 tomate, coupée en fins quartiers
2 cuil. à soupe de feuilles
    de basilic doux
1 petit oignon, émincé
½ cuil. à café de sucre

CONSEIL

Les feuilles de lime kafir fraîches
se congèlent bien, vous pouvez
conserver celles que vous
n'utilisez pas au congélateur plus
d'un mois en les plaçant ficelées
dans un sac congélation.
Elles seront prêtes à l'emploi.

1 Faire tremper les nouilles 15 minutes à l'eau chaude, ou en suivant les instructions figurant sur le paquet. Égoutter soigneusement.

2 Faire chauffer l'huile dans un wok et y faire revenir l'ail, les piments et l'oignon 1 minute.

3 Ajouter le porc ou le poulet et faire sauter le tout 1 minute à feu vif, ajouter le poivron et faire sauter encore 2 à 3 minutes.

4 Ajouter les feuilles de lime, les sauces de soja et le sucre. Verser les nouilles et la tomate, et remuer pour bien chauffer tous les ingrédients.

5 Parsemer de feuilles de basilic et servir très chaud.

boulettes de venaison au xérès

4 personnes

450 g de venaison maigre, hachée
  (chevreuil, sanglier…)
1 carotte moyenne, râpée
½ cuil. à café de noix muscade
  en poudre
1 petit poireau, haché
1 blanc d'œuf, légèrement battu
sel et poivre
SAUCE
100 g de kumquats
15 g de sucre fin
150 ml d'eau
4 cuil. à soupe de xérès
1 cuil. à café de maïzena
ACCOMPAGNEMENT
pâtes ou nouilles
légumes

1 Mettre la viande hachée dans une grande terrine avec le poireau, la carotte, le sel, le poivre et la noix muscade. Ajouter le blanc d'œuf et malaxer avec les mains jusqu'à ce que le mélange soit homogène.

2 Diviser le mélange en 16 parts régulières. Avec les doigts, former autant de boulettes.

3 Porter une casserole d'eau à ébullition. Disposer les boulettes sur du papier sulfurisé dans une passoire en métal et poser au-dessus d'une casserole d'eau bouillante. Couvrir et cuire à la vapeur 10 minutes.

4 Pour préparer la sauce, laver et émincer les kumquats. Les mettre dans une poêle avec le sucre et l'eau, et porter à ébullition. Cuire à feux doux 2 à 3 minutes jusqu'à ce que les kumquats soient tendres.

5 Délayer la maïzena dans le xérès et ajouter dans la poêle. Bien réchauffer en remuant jusqu'à ce que la sauce épaississe. Saler et poivrer.

6 Égoutter les boulettes et les transférer dans un plat. Napper de sauce et servir.

113

pâtes et filet de porc à la crème

4 personnes

450 g de filet de porc, coupé
  en tranches fines
4 cuil. à soupe d'huile d'olive
225 g de champignons de Paris,
  émincés
200 ml de sauce au vin rouge
  italien (*voir* page 96)
1 cuil. à soupe de jus de citron
1 pincée de safran
350 g d'orecchionni (oreilles)
4 cuil. à soupe de crème fraîche
  épaisse
12 œufs de caille (*voir* « conseil »)
sel

CONSEIL

Dans cette recette les œufs
de caille sont cuits mollets.
Il est très difficile de les écaler
lorsqu'ils sont chauds. Il faut
donc d'abord les refroidir
complètement, sinon ils
se briseront lors de l'opération.

---

1 Placer le porc entre deux feuilles
de film alimentaire, aplatir
finement et couper en lanières.

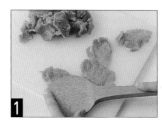

2 Faire chauffer l'huile dans une
grande poêle à feu moyen.
Ajouter les lanières de viande et faire
revenir 5 minutes. Ajouter les
champignons et laisser cuire 2 minutes.

3 Verser la sauce au vin sur le tout
(*voir* page 96), réduire le feu
et laisser mijoter doucement 20 minutes.

4 Pendant ce temps, porter
à ébullition une grande casserole
d'eau légèrement salée à feu moyen.
Ajouter le jus de citron, le safran et les
pâtes, et cuire 8 à 10 minutes, al
dente. Égoutter et réserver au chaud.

5 Verser la crème dans la poêle avec
la viande et laisser mijoter à feu
doux quelques minutes.

6 Faire cuire les œufs 3 minutes dans
une casserole d'eau bouillante.
Refroidir à l'eau courante, puis les écaler.

7 Disposer les pâtes dans un grand
plat de service, disposer la viande
au-dessus et napper avec la sauce.
Garnir avec les œufs et servir
immédiatement.

poulet grillé au citron et au miel

4 personnes

4 filets de poulet de 125 g

1 cuil. à soupe de sauce
  de soja épaisse

zeste de citron, finement râpé

2 cuil. à soupe de miel liquide

1 cuil. à soupe de jus de citron

sel et poivre

NOUILLES

225 g de nouilles de riz

2 cuil. à café d'huile de sésame

1 cuil. à soupe de graines de sésame

1 cuil. à soupe de zeste de citron,
  finement râpé

zestes de citron, en garniture

1 Préchauffer le gril du four à température moyenne. Enlever la peau du poulet, le dégraisser, le laver, puis l'essuyer avec du papier absorbant. Pratiquer des entailles sur les deux faces de la viande de façon à former un quadrillage (en veillant à ne pas traverser complètement les filets).

2 Dans un bol, mélanger le miel, la sauce de soja, 1 cuillerée à café de zeste de citron et 1 cuillerée à soupe de jus de citron. Bien assaisonner de poivre noir.

3 Poser le poulet sur la grille du four et l'enduire avec la moitié du mélange au miel avec un pinceau. Cuire 10 minutes au four préchauffé, retourner la viande et enduire l'autre face avec le reste du mélange. Prolonger la cuisson 8 à 10 minutes jusqu'à ce que la viande soit bien cuite.

4 Préparer les nouilles selon le mode d'emploi. Bien égoutter et verser dans un récipient pour servir. Mélanger les nouilles avec l'huile et les graines de sésame, et 1 cuillerée à café de zeste de citron. Saler, poivrer et garder au chaud.

5 Égoutter le poulet et servir avec les nouilles. Garnir de zestes de citron.

nouilles de riz au poulet et au chou chinois

4 personnes

200 g de nouilles de riz

1 cuil. à soupe d'huile de maïs

1 gousse d'ail, finement hachée

1 morceau de gingembre frais
de 2 cm, haché

4 oignons verts, émincés

1 piment oiseau rouge, épépiné
et coupé en rondelles

300 g de filets de poulet, hachés

1 cuil. à soupe de sauce de soja

1 branche de céleri, émincée

1 carotte, coupée en julienne

300 g de chou chinois,
en lanières

4 cuil. à soupe de jus
de citron vert

2 cuil. à soupe de nuoc mam thaï

2 foies de poulet, hachés

GARNITURE

2 cuil. à soupe de menthe fraîche
ciselée

rondelles d'ail au vinaigre

1 minute. En remuant, ajouter le poulet
et les foies de volaille, et faire sauter le
tout 2 à 3 minutes jusqu'à ce qu'ils
commencent à peine à colorer.

1 Remplir une terrine d'eau chaude
et y mettre les nouilles. Laisser
tremper 15 minutes, ou selon le mode
d'emploi. Égoutter soigneusement.

2 Faire chauffer l'huile dans un wok
et y faire revenir l'ail, le gingembre,
l'oignon vert et le piment environ

3 En remuant, ajouter le céleri et
la carotte et faire sauter encore
2 minutes, jusqu'à ce que le mélange
soit tendre. Ajouter le chou chinois,
le jus de citron vert, le nuoc mam,
la sauce de soja et faire sauter.

4 Ajouter les nouilles et remuer.
Parsemer de menthe fraîche et d'ail
au vinaigre. Servir bien chaud.

pâtes aux œufs et au bœuf

4 personnes

285 g de pâtes aux œufs

3 cuil. à soupe d'huile de noix

1 morceau de gingembre frais
de 2,5 cm, coupé
en fines lanières

5 oignons verts, émincés

2 gousses d'ail, finement hachées

1 poivron rouge, évidé, épépiné
et coupé en fines lanières

100 g de champignons de Paris,
émincés

350 g de filet de bœuf, coupé
en fines lanières

1 cuil. à soupe de maïzena

5 cuil. à soupe de xérès sec

3 cuil. à soupe de sauce de soja

1 cuil. à café de sucre roux

225 g de germes de soja

1 cuil. à soupe d'huile de sésame

sel et poivre

lanières d'oignon vert, en garniture

1 Porter une casserole d'eau à ébullition. Ajouter les pâtes et faire cuire selon les instructions

du paquet. Égoutter soigneusement et réserver.

2 Faire chauffer l'huile de noix dans un wok préchauffé. Ajouter le gingembre, les oignons verts et l'ail, et faire sauter 45 secondes. Ajouter le poivron, les champignons et le bœuf, et faire sauter 4 minutes. Saler et poivrer.

3 Mélanger la maïzena, le xérès et la sauce de soja dans un petit récipient pour obtenir une pâte, et verser dans le wok. Saupoudrer avec le sucre roux et faire sauter le tout 2 minutes.

4 Ajouter les germes de soja, les pâtes égouttées et l'huile de sésame. Bien mélanger pendant 1 minute. Garnir avec les lanières d'oignon vert et servir.

CONSEIL

Si vous n'avez pas de wok, vous pouvez préparer ce plat dans une poêle. Un wok est cependant préférable, car son fond concave assure une bonne répartition de la chaleur, et il est plus facile d'y faire sauter les ingrédients sans cesser de les remuer.

conchiglie et poulet au citron

4 personnes

8 morceaux de poulet de 115 g
chacun

4 cuil. à soupe de beurre, mou

4 cuil. à soupe de moutarde douce
(*voir* conseil)

2 cuil. à soupe de jus de citron

1 cuil. à soupe de sucre roux

1 cuil. à soupe de paprika

3 cuil. à soupe de graines de pavot

400 g de conchiglie fraîches

sel et poivre

CONSEIL

La moutarde de Dijon est la plus
couramment utilisée. Il existe
cependant d'autres moutardes,
comme la moutarde à l'ancienne
dans laquelle les graines sont
conservées et qui est plus douce. On
trouve également de nombreuses
moutardes aromatisées.

1 Dans un plat à rôtir, disposer les morceaux de poulet en une seule couche, la partie coupée en dessous.

2 Mélanger le beurre, la moutarde, le jus de citron, le sucre et le paprika dans une terrine. Saler et poivrer à son goût. Badigeonner les morceaux de poulet avec la préparation et faire cuire au four préchauffé à 200 °C (th. 7), 15 minutes.

3 Sortir le plat du four, retourner délicatement les morceaux de poulet. Badigeonner le poulet avec le reste de la préparation puis parsemer de graines de pavot. Remettre au four encore 15 minutes.

4 Pendant ce temps, porter à ébullition à feu moyen une grande casserole d'eau légèrement salée. Ajouter les pâtes et faire cuire jusqu'à ce qu'elles soient al dente.

5 Égoutter les pâtes et les disposer dans un plat chaud puis ajouter le poulet par-dessus. Arroser le plat de sauce et servir immédiatement.

pain de poulet aux crevettes et aux pâtes

4 personnes

4 blancs de poulet de 200 g,
   parés

115 g de grandes feuilles d'épinard,
   équeutées et blanchies à l'eau
   bouillante salée

4 tranches de jambon de Parme

12 à 16 grosses crevettes roses
   crues, décortiquées et déveinées

450 g de tagliatelles sèches

1 cuil. à soupe d'huile d'olive

1 grosse carotte, râpée

60 g de beurre, un peu plus
   pour graisser

3 poireaux, coupés en lanières

150 ml de mayonnaise épaisse

2 grosses betteraves cuites

1 Placer chaque blanc de poulet entre 2 morceaux de papier sulfurisé, et les abaisser.

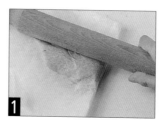

2 Répartir la moitié des épinards sur les blancs, ajouter une tranche de jambon à chacun et recouvrir d'épinards. Poser dessus 3 ou 4 crevettes. Rouler chaque blanc. Envelopper chaque rouleau dans du papier d'aluminium beurré, les mettre sur une plaque à pâtisserie et faire cuire à four préchauffé, 20 minutes à 210 °C (th. 7).

3 Faire cuire les pâtes à l'eau bouillante salée jusqu'à ce qu'elles soient tendres. Égoutter et réserver dans un plat chaud.

4 Faire fondre le beurre et faire revenir 3 minutes les poireaux et la carotte. Disposer au milieu des pâtes.

5 Mixer la mayonnaise et une betterave, jusqu'à obtention d'un mélange homogène. Passer dans une passoire et disposer autour des pâtes et des légumes.

6 Couper la deuxième betterave en losanges, et les disposer autour de la mayonnaise. Retirer le poulet du papier d'aluminium et le couper en tranches fines. Disposer sur les légumes et les pâtes, et servir.

lasagnes au poulet et aux champignons

4 personnes

beurre, pour graisser

14 feuilles de lasagnes précuites

850 ml de béchamel (*voir* page 98)

75 g de parmesan, râpé

SAUCE AU POULET

    ET AUX CHAMPIGNONS

2 cuil. à soupe d'huile d'olive

2 gousses d'ail, hachées

1 gros oignon, finement émincé

225 g de champignons sauvages,

    émincés

300 g de poulet, haché

80 g de foies de poulet, coupés

    en petits morceaux

115 g de jambon de Parme, coupé

    en dés

280 g de tomates concassées

    en boîte

150 ml de marsala

1 cuil. à soupe de basilic frais haché

2 cuil. à soupe de concentré

    de tomates

sel et poivre

1 Pour préparer la sauce, faire chauffer l'huile d'olive dans une casserole. Ajouter l'ail, l'oignon et les champignons et faire cuire 6 minutes.

2 Ajouter le poulet haché, les foies de poulet et le jambon de Parme, et faire sauter 12 minutes, jusqu'à ce que la viande soit dorée.

3 Incorporer le marsala, les tomates, le basilic et le concentré de tomates, et faire cuire 4 minutes. Saler, poivrer, couvrir et laisser mijoter 30 minutes. Remuer et laisser encore mijoter 15 minutes.

4 Disposer les lasagnes au fond d'un plat à gratin beurré, recouvrir d'une couche de sauce poulet-champignons, puis d'une couche de béchamel. Mettre une autre couche de lasagnes et répéter deux fois l'opération. Finir avec une couche de béchamel. Parsemer de fromage râpé et faire cuire au four préchauffé, 35 minutes à 195 °C (th. 6-7), jusqu'à ce que le dessus soit bien doré. Servir.

lasagnes au poulet et aux épinards

4 personnes

350 g d'épinards hachés surgelés,
   décongelés et égouttés

½ cuil. à café de noix
   muscade en poudre

450 g de viande de poulet maigre
   cuite, sans peau, coupée en dés

4 feuilles de lasagnes vertes,
   non précuites

1 cuil. à soupe ½ de maïzena

425 ml de lait écrémé

4 cuil. à soupe de parmesan râpé

sel et poivre

SAUCE TOMATE

400 g de tomates concassées
   en boîte

1 oignon moyen, émincé

1 gousse d'ail, hachée

150 ml de vin blanc

3 cuil. à soupe de concentré
   de tomates

1 cuil. à café d'origan

1 Préchauffer le four à 200 °C
(th. 6). Pour préparer la sauce,
mettre les tomates dans une casserole
et ajouter en remuant l'ail, l'oignon, le
vin, le concentré de tomates et
l'origan. Porter à ébullition et laisser
mijoter 20 minutes jusqu'à
épaississement. Saler et poivrer.

2 Égoutter de nouveau les épinards
et les disposer sur du papier
absorbant pour les sécher.
Les transférer dans un plat à gratin.
Saupoudrer de noix muscade, saler
et poivrer.

3 Disposer le poulet sur les épinards
et verser la sauce tomate.
Mettre les lasagnes par-dessus.

4 Délayer la maïzena dans un peu
de lait pour former une pâte.

Verser le reste du lait dans une
casserole et ajouter la pâte obtenue
en remuant. Faire chauffer
2 à 3 minutes en remuant jusqu'à
ce que la sauce épaississe. Saler
et poivrer.

5 Verser la sauce sur les lasagnes
et poser le plat sur une plaque de
four. Parsemer de parmesan râpé
et cuire au four 25 minutes, jusqu'à
ce que le dessus soit gratiné.

pâtes au poulet et à la sauce tomate

4 personnes

250 g de tagliatelles vertes fraîches

1 cuil. à soupe d'huile d'olive

feuilles de basilic frais, en garniture

sel et poivre

SAUCE TOMATE

2 cuil. à soupe d'huile d'olive

1 petit oignon, émincé

1 gousse d'ail, hachée

400 g de pulpe de tomates
    en boîte

2 cuil. à soupe de persil frais haché

1 cuil. à café d'origan séché

2 feuilles de laurier

2 cuil. à soupe de concentré
    de tomate

1 cuil. à café de sucre

SAUCE AU POULET

4 cuil. à soupe de beurre doux

400 g de blancs de poulet,
    sans peau et coupés
    en fines lanières

90 g d'amandes, mondées

300 ml de crème fraîche épaisse

sel et poivre

1 Pour la sauce tomate, chauffer l'huile à feu moyen et faire revenir l'oignon pour qu'il soit translucide. Incorporer l'ail et faire revenir 1 minute. Ajouter la pulpe de tomates, le persil, l'origan, le laurier, le sucre et le concentré de tomate. Saler et poivrer. Porter à ébullition et cuire à découvert 15 à 20 minutes, jusqu'à ce que la préparation réduise. Jeter le laurier.

2 Pour la sauce au poulet, faire fondre le beurre à feu moyen et faire revenir le poulet et les amandes à feu vif 5 à 6 minutes, jusqu'à ce que le poulet soit bien cuit.

3 Porter la crème à ébullition à feu doux et laisser mijoter 10 minutes, jusqu'à ce qu'elle ait réduit de moitié. Verser la crème sur le poulet et mélanger. Saler et poivrer. Réserver au chaud.

4 Porter à ébullition une casserole d'eau légèrement salée, verser les tagliatelles et l'huile d'olive, et laisser cuire 8 à 10 minutes al dente. Égoutter et transférer dans un plat chaud, ajouter la sauce tomate et répartir la sauce au poulet au centre du plat. Garnir de basilic et servir.

poulet au homard sur lit de pâtes

6 personnes

beurre, pour graisser

6 blancs de poulet

450 g de penne rigate

2 à 3 cuil. à soupe d'huile d'olive
vierge extra

90 g de parmesan, fraîchement râpé

sel

feuilles de persil frais, en garniture

FARCE

115 g de chair de homard, hachée

2 échalotes, finement hachées

2 figues, hachées

1 cuil. à soupe de marsala

2 cuil. à soupe de chapelure

1 gros œuf, battu

sel et poivre

1 Graisser une plaque de four et
6 morceaux de papier
d'aluminium suffisamment grands
pour contenir un blanc de poulet.

2 Mettre tous les ingrédients
de la farce dans une terrine
et les mélanger soigneusement.

3 Pratiquer une poche dans chaque
blanc de poulet à l'aide d'un
couteau tranchant et la remplir de
farce. Envelopper les blancs dans le
papier d'aluminium et disposer
les papillotes sur la plaque de four.
Faire cuire au four préchauffé à 200 °C
(th. 7) 30 minutes.

4 Pendant ce temps, porter
à ébullition une casserole d'eau
salée avec 1 cuillerée à soupe d'huile.
Ajouter les pâtes et les cuire al dente
environ 10 minutes. Égoutter avec soin
et transférer dans un plat de service.
Arroser avec l'huile restante, parsemer
de parmesan et réserver au chaud.

5 Retirer délicatement les blancs
de poulet de leur papillote,
les découper en tranches fines
et les disposer sur les pâtes.
Garnir de fines herbes et servir
immédiatement.

2

3

3

tortellinis

4 personnes

115 g de blanc de poulet

60 g de jambon de Parme

40 g d'épinards, cuits
   et bien égouttés

1 cuil. à soupe d'oignon
   finement émincé

2 cuil. à soupe de parmesan
   fraîchement râpé

1 pincée de poudre
   de quatre-épices

1 œuf, battu

450 g de pâte à nouilles
   (*voir* page 50)

sel et poivre

2 cuil. à soupe de persil frais haché,
   en garniture

SAUCE

300 ml de crème fraîche légère

2 gousses d'ail, hachées

115 g de champignons de Paris,
   émincés

4 cuil. à soupe de parmesan
   fraîchement râpé

1 Porter à ébullition une casserole d'eau salée et poivrée. Ajouter le poulet et pocher 10 minutes. Laisser un peu refroidir, puis bien hacher au mixeur avec le jambon, les épinards et l'oignon. Incorporer le parmesan, le quatre-épices et l'œuf. Saler et poivrer.

2 Abaisser la pâte à nouilles en couche mince et découper des ronds de 5 cm.

3 Mettre ½ cuillerée à café de farce au centre des ronds. Plier en deux et appuyer sur les bords pour les souder.

3

Enrouler chaque pièce autour de l'index, joindre les bords et enrouler le reste de la pâte vers l'arrière pour obtenir la forme d'une petite couronne.

4 Porter à ébullition une casserole d'eau salée. Ajouter les tortellinis, porter de nouveau à ébullition et faire cuire 5 minutes. Égoutter et disposer dans un plat.

5 Pour la sauce, porter à ébullition la crème fraîche et l'ail, et laisser mijoter 3 minutes. Ajouter les champignons et la moitié du fromage, saler, poivrer et laisser mijoter 2 à 3 minutes. Verser la sauce sur les tortellinis. Parsemer avec le reste de parmesan, garnir avec le persil et servir.

3

spaghettis au poulet à l'orange

4 personnes

2 cuil. à soupe d'huile
de pépins de raisin

2 cuil. à soupe d'huile d'olive

4 escalopes de poulet
de 225 g chacune

150 ml de cognac

2 cuil. à soupe de farine

150 ml de jus d'orange, fraîchement
pressé

25 g de courgettes,
coupées en julienne

25 g de poireau, finement émincé

25 g de poivron rouge,
coupé en fines lamelles

400 g de spaghettis complets

3 grosses oranges, pelées
et séparées en quartiers

zeste d'une orange, coupé
en très fines lamelles

2 cuil. à soupe d'estragon
fraîchement haché

150 ml de fromage blanc
ou de ricotta

sel et poivre

feuilles d'estragon frais

1 Dans une poêle, faire chauffer l'huile de pépins de raisin avec 1 cuillerée à soupe d'huile d'olive et faire cuire le poulet à feu vif (il doit être bien doré). Ajouter le cognac et cuire 3 minutes, saupoudrer de farine et faire cuire 2 minutes.

2 Baisser le feu, ajouter le jus d'orange, la courgette, le poireau et le poivron. Saler et poivrer. Laisser mijoter 5 minutes pour faire épaissir la sauce.

3 Pendant ce temps, porter à ébullition une casserole d'eau légèrement salée, verser les spaghettis avec 1 cuillerée à soupe d'huile d'olive et cuire 10 minutes al dente. Égoutter, disposer dans un grand plat chaud et arroser du reste d'huile.

4 Mettre la moitié des quartiers et des lamelles de zeste d'orange, l'estragon et le fromage blanc dans la poêle et cuire environ 3 minutes.

5 Disposer le poulet sur les pâtes, napper avec un peu de sauce. Garnir avec le reste du zeste et des quartiers d'orange, et de l'estragon, et servir.

poulet au barbecue à la philippine

4 personnes

400 ml de limonade
   ou de limonade au citron vert
2 cuil. à soupe de gin
4 cuil. à soupe de ketchup
2 cuil. à café de sel à l'ail
2 cuil. à café de sauce Worcester
4 blancs de poulet
sel et poivre

GARNITURE
nouilles cellophanes aux œufs,
   cuites
1 piment vert frais, finement émincé
2 oignons verts, émincés

1 Mélanger la limonade, le gin, le ketchup, le sel à l'ail, la sauce Worcester dans une grande terrine. Saler et poivrer.

2 Disposer les morceaux de poulet dans la terrine et les recouvrir complètement de marinade.

3 Laisser la viande mariner au réfrigérateur 2 heures. Sortir et laisser reposer la viande, couverte, à température ambiante environ 30 minutes.

4 Placer les morceaux de poulet sur un barbecue à feu moyen et faire cuire 20 minutes, en retournant une fois en milieu de cuisson.

5 Retirer la viande cuite du barbecue. Laisser reposer 3 à 4 minutes avant de servir.

6 Servir avec des nouilles cuites garnies de piment rouge et d'oignons verts émincés.

lasagnes au faisan et aux petits oignons

4 personnes

beurre, pour graisser

14 feuilles de lasagnes précuites

850 ml de béchamel
   (*voir* page 98)

75 g de mozzarella, râpée

GARNITURE

225 g de lard gras, coupé
   en dés

60 g de beurre

16 petits oignons

8 gros filets de faisan, émincés

25 g de farine

600 ml de bouillon de volaille

bouquet garni

450 g de petits pois frais,
   cuits

sel et poivre

1 Mettre le lard dans une casserole d'eau bouillante salée et laisser mijoter 3 minutes. Égoutter et sécher avec du papier absorbant.

2 Faire fondre le beurre à feu doux dans une poêle, y ajouter le lard et les oignons. Faire revenir sans cesser de remuer environ 3 minutes, jusqu'à ce que le lard et les oignons soient légèrement dorés.

3 Retirer de la poêle. Mettre le faisan dans la poêle et faire cuire à feu doux jusqu'à ce qu'il soit doré de tous les côtés. Mettre dans un plat à gratin.

4 Mettre la farine dans la poêle en remuant, faire dorer et incorporer le bouillon.
Verser sur le faisan, ajouter le bouquet garni et faire cuire à four préchauffé, 5 minutes à 210 °C (th. 7). Retirer le bouquet garni. Ajouter oignons, lard et petits pois, et remettre au four 10 minutes.

5 Hacher les filets de faisan et le lard avec un robot de cuisine.

6 Baisser le four à 195 °C (th. 6-7). Faire des couches de lasagnes, de sauce au faisan et de béchamel dans un plat à gratin. Finir avec une couche de béchamel. Parsemer de fromage et faire cuire 30 minutes au four. Servir entouré de petits pois et d'oignons.

poulet braisé à l'ail et aux épices

4 personnes

4 gousses d'ail, hachées

4 échalotes

2 petits piments rouges, épépinés
   et hachés

1 tige de lemon-grass, hachée

1 cuil. à soupe de feuilles
   de coriandre hachées

1 cuil. à café de pâte de crevette

½ cuil. à café de cannelle en poudre

1 cuil. à soupe de pâte de tamarin

2 cuil. à soupe d'huile

8 pilons ou petites cuisses de poulet

300 ml de bouillon de volaille

1 cuil. à soupe de nuoc mam thaï

1 cuil. à soupe de beurre
   de cacahuète

sel et poivre

4 cuil. à soupe de cacahuètes grillées
   concassées

ACCOMPAGNEMENT

légumes sautés

nouilles

1 Dans un mortier, piler l'ail avec les échalotes, les piments, le lemon-grass, la coriandre et la pâte de crevette, jusqu'à obtenir une pâte épaisse et presque lisse. Ajouter la cannelle et la pâte de tamarin.

2 Faire chauffer l'huile dans un wok ou une grande sauteuse. Y faire revenir le poulet, en le retournant souvent, jusqu'à ce qu'ils soient dorés de tous les côtés. Retirer du feu et réserver au chaud. Retirer l'excès de graisse fondue du wok.

3 Verser la pâte aux épices dans le wok et faire revenir à feu moyen. En remuant, ajouter le bouillon et remettre le poulet dans le wok.

4 Porter à ébullition et couvrir hermétiquement, réduire le feu et laisser mijoter 25 à 30 minutes, en remuant de temps en temps, jusqu'à ce que le poulet soit tendre et cuit. Incorporer le nuoc mam et le beurre de cacahuète, et laisser mijoter encore 10 minutes à feu doux.

5 Saler, poivrer et parsemer de cacahuètes concassées. Servir chaud, accompagné de légumes sautés de couleurs vives et de nouilles.

poulet aux olives vertes sur lit de pâtes

4 personnes

4 blancs de poulet

2 cuil. à soupe d'huile d'olive

25 g de beurre

1 gros oignon, finement émincé

2 gousses d'ail, hachées

150 ml de vin blanc sec

175 g d'olives vertes dénoyautées

2 poivrons verts, jaunes
    ou rouges, évidés, épépinés
    et coupés en gros morceaux

225 g de champignons de Paris,
    émincés ou coupés en quatre

175 g de tomates, pelées
    et coupées en deux

350 g de pâtes sèches

4 à 6 cuil. à soupe de crème fraîche
    épaisse

sel et poivre

persil frais, haché, en garniture

1 Saler et poivrer le poulet et le faire dorer dans le beurre et 2 cuillerées à soupe d'huile d'olive. Retirer de la poêle.

2 Mettre l'oignon et l'ail dans la poêle et faire revenir jusqu'à ce qu'ils soient juste tendres. Ajouter les poivrons et les champignons, et faire cuire 2 à 3 minutes.

Ajouter les tomates, saler et poivrer. Mettre les légumes dans une cocotte avec le poulet.

3 Verser le vin dans la poêle et porter à ébullition. Verser le vin sur le poulet. Couvrir et faire cuire au four préchauffé, 50 minutes à 180 °C (th. 6).

4 Mettre les olives dans la cocotte et mélanger. Verser la crème fraîche, couvrir et remettre au four 10 à 20 minutes.

5 Porter à ébullition une casserole d'eau bouillante légèrement salée. Ajouter les pâtes et l'huile restante, et faire cuire al dente. Égoutter.

6 Transférer les pâtes dans un plat et disposer le poulet par-dessus. Napper le plat avec la sauce, garnir avec le persil et servir immédiatement.

filets de canette aux framboises

4 personnes

4 filets de canette de 275 g

2 cuil. à soupe de beurre

50 g de carottes, coupées
   en dés

50 g d'échalotes, finement
   émincées

1 cuil. à soupe de jus de citron

150 ml de bouillon de viande

4 cuil. à soupe de miel liquide

115 g de framboises fraîches
   ou surgelées, décongelées

3 cuil. à soupe de farine

1 cuil. à soupe de sauce Worcester

400 g de linguine fraîches

1 cuil. à soupe d'huile d'olive

sel et poivre

GARNITURE

brin de persil plat frais

framboises fraîches

1 À l'aide d'un couteau, inciser les filets de canette, saler et poivrer. Faire fondre le beurre, et faire revenir les filets afin qu'ils soient légèrement colorés des deux côtés.

2 Ajouter les carottes, les échalotes, le jus de citron et 75 ml de bouillon, laisser mijoter 2 minutes. Incorporer la moitié du miel et des framboises, saupoudrer avec la moitié de la farine et cuire 3 minutes sans cesser de remuer. Ajouter la sauce Worcester.

3 Ajouter le bouillon restant et cuire 2 minutes. Ajouter le reste du miel et des framboises. Saupoudrer avec la farine restante et cuire 3 minutes.

4 Ôter les filets et laisser mijoter la sauce à feu doux.

5 Porter à ébullition de l'eau légèrement salée, verser les linguine et cuire 5 minutes. Elles doivent être al dente. Égoutter et répartir dans les assiettes.

6 Couper les filets en morceaux de 5 mm d'épaisseur. Verser la sauce sur les pâtes et disposer les filets en éventail. Garnir de persil et de framboises.

Poissons
et fruits de mer

Le poisson et les fruits de mer s'accompagnent

naturellement de pâtes. Ils cuisent très vite, ce

qui préserve leur saveur, et renferment de

nombreux bienfaits nutritifs. De plus, on peut les accommoder de multiples

façons. Ce chapitre vous propose une large palette de superbes recettes, qui

vous invitent à essayer le gratin de coquillettes et de crevettes, les filets de

rouget barbet sur oreillettes ou encore le vermicelle aux palourdes, constituant

tous des repas rapides, faciles et délicieux. Vous trouverez aussi dans ce

chapitre des recettes très originales telles que le bar aux olives sur lit de

macaronis, les penne au saumon poché, les raviolis à la limande-sole et à

l'églefin ou le homard au beurre et aux farfallini.

gâteau de pâtes à la vapeur

4 personnes

115 g de coquillettes ou d'autres
  pâtes courtes sèches
1 cuil. à soupe d'huile d'olive
15 g de beurre, un peu plus
  pour graisser
450 g de filets de poisson blanc
  (cabillaud ou églefin par exemple)
2 ou 3 brins de persil
6 grains de poivre noir
125 ml de crème fraîche épaisse
2 œufs, blancs et jaunes séparés
2 cuil. à soupe d'aneth ou de persil
  frais haché
1 pincée de noix muscade
  fraîchement râpée
sel et poivre
60 g de parmesan, fraîchement râpé
branches d'aneth frais ou brins de
  persil frais, en garniture
sauce tomate (voir page 126,
  en accompagnement)

1 Porter à ébullition une casserole d'eau salée. Ajouter l'huile d'olive et les pâtes, et faire cuire jusqu'à ce qu'elles soient tendres. Égoutter, remettre dans la casserole, ajouter le beurre, couvrir et réserver au chaud.

2 Mettre dans une poêle le poisson, le persil et les grains de poivre, et recouvrir d'eau. Porter à ébullition, couvrir et laisser mijoter 10 minutes. Retirer le poisson et réserver le jus.

3 Enlever la peau du poisson et le couper en petits morceaux. Mélanger la crème fraîche, les jaunes d'œufs, l'aneth ou le persil haché, la noix muscade et le fromage, et mélanger avec les pâtes dans une terrine. Incorporer délicatement le poisson. Ajouter la quantité de jus de cuisson nécessaire pour obtenir une préparation moelleuse mais ferme.

Battre les blancs d'œufs en neige ferme et les incorporer à la préparation.

4 Beurrer une terrine résistant à la chaleur et la remplir de la préparation jusqu'à 4 cm du bord. Couvrir de papier sulfurisé et de papier d'aluminium beurré, et attacher avec de la ficelle de cuisine.

5 Poser la terrine sur un trépied placé dans une casserole. Ajouter de l'eau bouillante jusqu'à mi-hauteur. Couvrir et faire cuire 1 h 30.

6 Retourner le gâteau. Garnir et servir avec la sauce tomate.

142

gratin de macaronis et de crevettes

4 personnes

350 g de macaronis courts

1 cuil. à soupe d'huile d'olive,
un peu plus pour badigeonner

90 g de beurre, un peu plus
pour graisser

2 petits bulbes de fenouil, émincés

175 g de champignons, émincés

175 g de crevettes, cuites
et décortiquées

1 pincée de poivre de Cayenne

300 ml de béchamel
(*voir* « conseil »)

1 cuil. à café d'origan séché

60 g de parmesan,
fraîchement râpé

2 grosses tomates, coupée
en rondelles

sel et poivre

1 Porter à ébullition une casserole d'eau salée. Ajouter les pâtes et l'huile, et faire cuire al dente. Égoutter, remettre dans la casserole et ajouter en remuant 25 g de beurre. Couvrir et tenir au chaud.

2 Faire revenir 3 à 4 minutes le fenouil dans le beurre restant. Ajouter les champignons en remuant et faire cuire 2 minutes. Ajouter les crevettes et retirer du feu.

3 Mélanger les pâtes, le poivre de Cayenne et la préparation aux crevettes avec la béchamel. Verser dans un plat à gratin beurré. Parsemer de parmesan et disposer les rondelles de tomate autour. Badigeonner les tomates d'huile d'olive et parsemer d'origan.

4 Faire cuire au four préchauffé, 25 minutes à 180 °C (th. 6), jusqu'à ce que le dessus soit bien doré. Servir.

CONSEIL

Pour la béchamel, faites fondre 25 g de beurre. Ajouter 25 g de farine et faire cuire 2 minutes. Incorporez peu à peu 300 ml de lait chaud. Ajoutez 2 cuillerées à soupe d'oignon émincé, 5 grains de poivre blanc et 2 brins de persil. Assaisonnez avec du sel, du thym séché et de la noix muscade râpée. Faites mijoter 15 minutes en remuant. Filtrez.

truite au lard sur lit de tagliatelles

4 personnes

beurre, pour graisser le plat

4 truites de 275 g chacune, vidées
et nettoyées

12 filets d'anchois à l'huile,
égouttés et hachés

2 pommes, épluchées, évidées
et coupées en lamelles

4 brins de menthe fraîche

jus d'un citron

12 tranches de lard fumé,
sans la couenne

450 g de tagliatelles

sel et poivre

GARNITURE

2 pommes, évidées et coupées
en lamelles

4 brins de menthe fraîche

1 Beurrer généreusement une plaque de four à bords hauts. Réserver.

2 Ouvrir les truites et les rincer à l'eau chaude salée.

3 Saler et poivrer l'intérieur des truites. Les farcir avec anchois, lamelles de pommes et brins de menthe puis arroser la farce de jus de citron.

4 Barder soigneusement les truites, excepté la tête et la queue, de trois tranches de lard fumé, en les enroulant en diagonale.

5 Disposer les truites sur la plaque, les extrémités des tranches de lard coincées en dessous. Saler et poivrer les poissons, et cuire au four préchauffé, à 210 °C (th. 7), 20 minutes, en les retournant au bout de 10 minutes, afin qu'elles cuisent bien des deux côtés.

6 Porter à ébullition une casserole d'eau légèrement salée, y verser les tagliatelles et cuire 12 minutes ou al dente. Égoutter et disposer sur un plat chaud.

7 Sortir les truites farcies du four et les disposer sur les tagliatelles. Garnir de lamelles de pommes et de brins de menthe fraîche.

bar aux olives sur lit de coquillettes

4 personnes

450 g de coquillettes
1 cuil. à soupe d'huile d'olive
8 médaillons de bar de 115 g
SAUCE
2 cuil. à soupe de beurre
4 échalotes, émincées
2 cuil. à soupe de câpres
175 g d'olives vertes, dénoyautées
   et hachées
4 cuil. à soupe de vinaigre balsamique
300 ml de bouillon de poisson
300 ml de crème fraîche épaisse
jus d'un citron
sel et poivre
GARNITURE
rondelles de citron
1 poireau émincé et 1 carotte coupée
   en fines rondelles

1 Pour faire la sauce, faire fondre le beurre et revenir les échalotes à feu doux 4 minutes. Ajouter les câpres et les olives, et faire revenir 3 minutes.

2 Verser le vinaigre balsamique et le bouillon de poisson en remuant, porter à ébullition et faire réduire de moitié. Incorporer la crème en remuant et faire réduire de moitié. Saler et poivrer puis incorporer le jus de citron, retirer du feu et réserver au chaud.

3 Porter à ébullition une casserole d'eau légèrement salée, verser les pâtes avec l'huile et cuire 12 minutes, al dente.

4 Passer les médaillons sous le gril doux, 3 à 4 minutes de chaque côté. Ils doivent être bien cuits, mais garder une chair moelleuse.

5 Égoutter les pâtes et les répartir dans des assiettes. Surmonter les pâtes des médaillons de poisson et verser la sauce aux olives. Garnir et servir immédiatement.

spaghettis au thon

4 personnes

200 g de thon en boîte, égoutté

60 g de filets d'anchois en boîte,
   égouttés

250 ml d'huile d'olive

150 ml de crème fraîche

60 g de persil plat,
   grossièrement ciselé

450 g de spaghettis

2 cuil. à soupe de beurre

sel et poivre

olives noires, en garniture

1 Enlever les arêtes du thon, puis mettre le thon, les anchois, 225 ml d'huile d'olive et le persil dans un mixeur. Mixer jusqu'à obtention d'une consistance homogène.

2 Ajouter la crème fraîche dans le mixeur et mixer quelques secondes, de façon à bien amalgamer le tout. Saler et poivrer.

3 Porter à ébullition de l'eau salée, y verser les spaghettis et le reste d'huile. Laisser cuire 8 à 10 minutes. Les pâtes doivent être al dente.

4 Égoutter les spaghettis, les remettre sur feu moyen. Ajouter le beurre et remuer pour enrober les pâtes. Ajouter la sauce au thon et remuer rapidement à l'aide de 2 fourchettes pour bien enrober les pâtes. Mélanger.

5 Retirer du feu et répartir les spaghettis dans 4 assiettes chaudes. Garnir les assiettes avec des olives.

filets de rouget barbet et orecchiette

4 personnes

90 g de farine

8 filets de rouget barbet

25 g de beurre

150 ml de bouillon de poisson

1 cuil. à soupe d'amandes pilées

1 cuil. à café de grains
   de poivre rose

zeste râpé d'une orange

1 orange, épluchée et coupée
   en quartiers

1 cuil. à soupe de liqueur d'orange

450 g d'orecchiette sèches

1 cuil. à soupe d'huile d'olive

150 ml de crème fraîche épaisse

4 cuil. à soupe d'amaretto

sel et poivre

GARNITURE

2 cuil. à soupe de ciboulette fraîche
   coupée en petits morceaux

1 cuil. à soupe d'amandes grillées

1 Saler et poivrer la farine, et en saupoudrer un plat peu profond. Enrober le poisson de farine en appuyant. Faire fondre le beurre dans une poêle et faire dorer le poisson 3 minutes à feu doux.

2 Ajouter le bouillon et cuire 4 minutes. Retirer délicatement le poisson, couvrir de papier d'aluminium et réserver au chaud.

3 Ajouter les amandes, les grains de poivre, la liqueur, le zeste et la moitié de l'orange dans la poêle. Laisser mijoter jusqu'à réduction de moitié.

4 Porter à ébullition une casserole d'eau salée. Ajouter les pâtes et l'huile d'olive, et faire cuire 15 minutes, al dente.

5 Saler et poivrer la sauce, et incorporer la crème fraîche et l'amaretto. Faire cuire 2 minutes. Remettre le poisson dans la poêle et l'enrober de sauce.

6 Égoutter les pâtes et les disposer dans un plat. Poser les filets de poisson en sauce. Garnir avec les quartiers d'orange restants, la ciboulette et les amandes.

marmite de calmars et de pâtes

4 personnes

225 g de pâtes courtes sèches
6 cuil. à soupe d'huile d'olive
2 oignons, émincés
350 g de calmars parés, coupés
    en lanières de 4 cm
225 ml de bouillon de poisson
150 ml de vin rouge
2 cuil. à soupe de concentré
    de tomate.
1 cuil. à café d'origan séché
350 g de tomates, pelées
    et coupées en fines rondelles
2 feuilles de laurier
2 cuil. à soupe de persil frais haché
sel et poivre

1 Porter à ébullition une casserole d'eau salée. Ajouter les pâtes, cuire 3 minutes. Égoutter et réserver au chaud.

2 Faire chauffer l'huile et faire revenir les oignons jusqu'à ce qu'ils soient translucides. Ajouter les calmars et le bouillon, cuire 5 minutes. Ajouter vin, concentré de tomates, tomates, origan et laurier. Porter à ébullition, saler et poivrer, et cuire 5 minutes.

3 Ajouter les pâtes en remuant, couvrir et laisser mijoter 10 minutes, jusqu'à ce que calmars et pâtes soient tendres et que la sauce ait épaissi. Si la sauce reste trop

liquide, ôter le couvercle et faire cuire quelques minutes.

4 Jeter les feuilles de laurier. Réserver un peu de persil et ajouter le reste à la préparation. Parsemer avec le persil réservé. Servir.

nouilles aux crevettes

4 personnes

225 g de nouilles fines aux œufs

2 cuil. à soupe d'huile d'arachide

1 gousse d'ail, hachée

1 botte d'oignons verts, coupés
    en morceaux de 5 cm

½ cuil. à café d'anis étoilé en poudre

24 grosses crevettes crues,
    décortiquées (en conservant
    la queue)

2 cuil. à café de jus de citron

2 cuil. à soupe de sauce
    de soja claire

rondelles de citron, en garniture

1 Faire blanchir les nouilles environ 2 minutes à l'eau bouillante.

2 Égoutter, rincer à l'eau froide et égoutter de nouveau. Réserver au chaud.

3 Faire chauffer l'huile d'arachide dans un wok préchauffé jusqu'à ce qu'elle soit très chaude.

4 Ajouter l'ail et l'anis étoilé. Faire revenir 30 secondes.

5 Incorporer les oignons verts et les crevettes. Faire revenir 2 à 3 minutes.

6 Incorporer la sauce de soja, le jus de citron et les nouilles. Laisser cuire 1 minute sans cesser de remuer.

7 Répartir les nouilles dans des bols, garnir de rondelles de citron et servir.

penne au saumon poché

4 personnes

4 darnes de saumon frais de 275 g

4 cuil. à soupe de beurre

175 ml de vin blanc sec

sel de mer

8 grains de poivre

1 brin d'aneth frais

1 brin d'estragon frais

1 citron, coupé en rondelles

450 g de penne sèches

2 cuil. à soupe d'huile d'olive

rondelles de citron

    et cresson frais, en garniture

SAUCE AU CITRON

2 cuil. à soupe de beurre

3 cuil. à soupe de farine

150 ml de lait chaud

jus et écorce finement râpée

    de 2 citrons

60 g de cresson, ciselé, un peu plus

    en garniture

sel et poivre

1 Mettre les darnes de saumon dans une poêle avec le beurre, le vin blanc, les grains de poivre, l'aneth, l'estragon, le citron et une pincée de sel de mer. Couvrir, porter à ébullition et laisser mijoter 10 minutes.

2 À l'aide d'une écumoire, retirer le saumon, l'égoutter et réserver le jus. Retirer la peau et les arêtes centrales puis mettre les darnes dans un plat, couvrir et réserver au chaud.

3 Porter à ébullition de l'eau légèrement salée, y verser les penne avec 1 cuillerée à soupe d'huile et laisser cuire 8 à 10 minutes. Les pâtes doivent être al dente. Les égoutter et les arroser d'un filet d'huile d'olive. Surmonter les pâtes des darnes et réserver au chaud.

4 Pour faire la sauce, faire fondre le beurre, ajouter la farine et cuire 2 minutes sans cesser de remuer. Verser le lait, 7 cuillerées à soupe du jus réservé, le jus et l'écorce de citron, cuire 10 minutes, sans cesser de remuer.

5 Ajouter le cresson à la sauce puis, saler et poivrer.

6 Verser sur le saumon et les pâtes et garnir de rondelles de citron et de cresson frais.

rouleaux de lasagne au saumon

4 personnes

8 feuilles de lasagne vertes

1 oignon, émincé

15 g de beurre

½ poivron rouge, coupé en lanières

1 courgette, coupée en dés

1 cuil. à café de gingembre frais, râpé

125 g de pleurotes, jaunes de préférence, grossièrement coupés

225 g de filet de saumon sans peau, coupé en gros dés

2 cuil. à soupe de sherry sec

2 cuil. à café de maïzena

20 g de farine blanche

20 g de beurre

300 ml de lait

25 g de gruyère râpé

15 g de chapelure

sel et poivre

mesclun, en accompagnement

1 Placer les feuilles de lasagne dans un grand plat peu profond. Les recouvrir largement d'eau bouillante. Placer le tout 5 minutes au micro-ondes à puissance maximum. Couvrir, laisser gonfler quelques minutes, puis égoutter. Rincer les lasagne à l'eau froide et les disposer sur un plan de travail propre.

2 Placer oignons et beurre dans une terrine. Couvrir et mettre 2 minutes au micro-ondes à puissance maximum. Ajouter poivron rouge, courgette et gingembre. Cuire encore 3 minutes.

3 Ajouter les champignons et le saumon dans la terrine. Délayer la maïzena dans le sherry puis mélanger aux autres ingrédients. Couvrir et placer 4 minutes au micro-ondes à puissance maximum jusqu'à ce que la chair du saumon se détache facilement à la fourchette. Saler et poivrer à son goût.

4 Dans un bol, délayer la farine et le beurre dans le lait. Faire cuire 3 à 4 minutes au micro-ondes à puissance maximum en fouettant toutes les minutes jusqu'à obtenir la consistance d'une béchamel. Incorporer la moitié du fromage. Saler et poivrer à son goût.

5 Répartir la farce au saumon en quantité égale le long du petit côté de chaque feuille de lasagne. Rouler les feuilles autour de la garniture. Les disposer dans un moule rectangulaire préalablement huilé. Napper de sauce et saupoudrer avec la chapelure et le reste de fromage.

6 Placer 3 minutes au micro-ondes à puissance maximum pour bien réchauffer tous les ingrédients. Avant de servir, faire légèrement gratiner sous un gril préchauffé (si possible). Disposer dans de grandes assiettes de service et servir accompagné du mesclun.

raviolis à la limande-sole et à l'églefin

4 personnes

450 g de filets de limande-sole,
    sans peau

450 g de filets d'églefin,
    sans peau

3 œufs, battus

50 ml de crème fraîche épaisse

450 g de gnocchis à la pomme
    de terre, cuits

175 g de chapelure

sel et poivre

450 g de pâte à nouilles
    (*voir* page 96)

300 ml de sauce au vin rouge
    (*voir* page 96)

60 g de parmesan, fraîchement râpé

CONSEIL

Pour des raviolis carrés, divisez la pâte en deux. Enveloppez une moitié de film alimentaire, couvrez avec un torchon humide, et abaissez l'autre en couche fine. Disposez la farce à intervalles réguliers, et badigeonnez entre d'eau ou d'œuf battu. Recouvrez avec l'autre moitié abaissée et appuyez entre les blocs pour souder. Découpez à la roulette.

1 Émietter les filets de poisson dans une grande jatte.

2 Dans une jatte, bien mélanger les œufs, les gnocchis, la chapelure et la crème fraîche. Ajouter le poisson, saler et poivrer.

3 Abaisser la pâte à nouilles sur une surface légèrement farinée et découper des ronds de 7,5 cm de diamètre.

4 Déposer 1 cuillerée de farce au poisson sur chaque rond. Humecter les bords et replier les ronds en appuyant pour les souder.

5 Porter à ébullition une casserole d'eau légèrement salée. Ajouter les raviolis et faire cuire 15 minutes.

6 Égoutter les raviolis et disposer dans un grand plat. Verser dessus la sauce au vin rouge italienne, parsemer de parmesan et servir.

linguine aux sardines

4 personnes

8 sardines fraîches, levées en filets

1 bulbe de fenouil

4 cuil. à soupe d'huile d'olive

1 cuil. à café de piment haché

3 gousses d'ail, hachées

350 g de linguine

½ cuil. à café de zeste de citron
finement râpé

1 cuil. à soupe de jus citron

2 cuil. à soupe de pignons grillés

2 cuil. à soupe de persil frais haché,
un peu plus en garniture

sel et poivre

1 Laver les filets de sardines, les sécher, les couper en gros morceaux et les réserver. Émincer finement le fenouil après avoir retiré les feuilles les plus dures.

2 Dans une poêle, faire chauffer 2 cuillerées à soupe d'huile d'olive et faire revenir l'ail et le piment haché 1 minute. Ajouter le fenouil et faire revenir à feu moyen à vif 4 à 5 minutes jusqu'à ce qu'il ramollisse, puis incorporer les morceaux de sardines et faire cuire 4 à 5 minutes, jusqu'à ce qu'ils soient juste cuits.

3 Faire cuire les pâtes al dente dans beaucoup d'eau bouillante salée selon les instructions figurant sur le paquet. Les égoutter puis les remettre dans la casserole.

4 Incorporer le zeste et le jus de citron, les pignons, le persil, le sel et le poivre aux sardines et mélanger. Verser la préparation obtenue dans les pâtes avec le reste d'huile d'olive. Parsemer de persil.

vermicelle aux palourdes

4 personnes

400 g de vermicelle, de spaghettis
ou d'autres pâtes longues

2 cuil. à soupe d'huile d'olive

25 g de beurre

2 oignons, émincés

2 gousses d'ail, hachées

400 g de palourdes en boîte
au naturel

125 ml de vin blanc

4 cuil. à soupe de persil frais haché

½ cuil. à café d'origan séché

1 pincée de noix muscade
fraîchement râpée

sel et poivre

GARNITURE

brins de basilic frais

2 cuil. à soupe de parmesan râpé

1 Porter à ébullition une grande casserole d'eau salée. Ajouter les pâtes et la moitié de l'huile d'olive, et faire cuire al dente. Égoutter, remettre dans la casserole et ajouter le beurre. Couvrir, secouer la casserole et réserver au chaud.

2 Faire chauffer le reste d'huile à feu moyen dans une autre casserole et y faire suer les oignons. Ajouter l'ail et cuire encore 1 minute.

3 Égoutter les palourdes et ajouter la moitié du jus de la boîte, avec le vin blanc, aux oignons. Bien mélanger, porter à ébullition en remuant et laisser frémir 3 minutes.

4 Ajouter les palourdes, le persil et l'origan dans la casserole, saler, poivrer et incorporer la muscade. Baisser le feu et faire bien réchauffer la préparation.

5 Transférer les pâtes dans un plat et les napper de la sauce aux palourdes. Garnir de basilic et servir.

spaghettis et palourdes à la corse

4 personnes

400 g de spaghettis

sel et poivre

SAUCE CORSE

1 kg de palourdes

4 cuil. à soupe d'huile d'olive

3 grosses gousses d'ail, hachées

60 ml d'olives aromatisées

    ou d'olives noires au naturel,

    dénoyautées et émincées

poudre de piment (facultatif)

1 kg de tomates, pelées et

    concassées avec leur jus

1 cuil. à soupe d'origan frais haché

    ou ½ cuil. à café d'origan séché

1 Faire tremper les palourdes 30 minutes dans une terrine remplie d'eau salée. Les rincer à l'eau courante froide et brosser les coquilles pour enlever le sable restant.

2 Jeter les coquillages cassés et ceux qui ne se ferment pas quand on les heurte avec le manche d'un couteau, (ils sont morts et peuvent être toxiques). Les remettre à tremper dans une terrine remplie d'eau. Faire bouillir une casserole d'eau salée.

3 Faire chauffer l'huile dans une grande poêle, à feu moyen. Ajouter l'ail et éventuellement le piment, laisser revenir 2 minutes.

4 Ajouter les tomates, les olives et l'origan. Baisser le feu et laisser frémir en remuant souvent jusqu'à ce que les tomates ramollissent et commencent à se défaire. Couvrir et laisser frémir 10 minutes.

5 Pendant ce temps, faire cuire les spaghettis al dente dans la casserole d'eau bouillante, selon les instructions du paquet. Égoutter les pâtes et les garder au chaud en réservant 125 ml d'eau de cuisson.

6 Ajouter les palourdes et l'eau de cuisson à la sauce, mélanger et amener à ébullition en remuant. Jeter les coquillages qui ne s'ouvrent pas. Verser le tout dans un grand faitout.

7 Verser les pâtes dans la sauce et remuer de manière à bien les enrober de sauce. Verser dans des assiettes individuelles et servir.

pâtes aux brocolis et sauce aux anchois

4 personnes

500 g de brocolis

400 g d'orecchiette

5 cuil. à soupe d'huile d'olive

2 grosses gousses d'ail, hachées

50 g de filets d'anchois à l'huile,
   égouttés et coupés en petits
   morceaux

60 g de parmesan

60 g de pecorino

sel et poivre

1 Préparer deux casseroles d'eau bouillante légèrement salée. Couper les fleurettes et les pieds des brocolis en morceaux de la taille d'une bouchée et les faire cuire jusqu'à ce qu'ils soient tendres.

2 Verser les pâtes dans l'autre casserole d'eau bouillante et faire cuire al dente 10 à 12 minutes.

3 Pendant ce temps, faire chauffer l'huile d'olive, à feu moyen, dans une grande sauteuse. Y faire revenir l'ail 3 minutes en remuant sans le laisser brunir. Ajouter les morceaux d'anchois, laisser cuire 3 minutes en remuant et en écrasant les morceaux avec une cuillère en bois. Râper à part le parmesan et le pecorino.

4 Égoutter les pâtes, les mélanger aux anchois dans la sauteuse. Ajouter les brocolis et mélanger.

5 Ajouter les fromages râpés et remuer constamment sur un feu moyen jusqu'à ce qu'ils aient fondu et bien enveloppé les pâtes et les légumes.

6 Rectifier l'assaisonnement. Le fromage et les anchois étant salés, il suffit d'ajouter éventuellement du poivre. Servir immédiatement dans des assiettes.

gambas à l'ail

4 personnes

4 gousses d'ail

20 à 24 gambas

125 g de beurre

4 cuil. à soupe d'huile d'olive

6 cuil. à soupe de cognac

2 cuil. à soupe de persil frais haché

sel et poivre

350 g de pâtes,

    en accompagnement

1 Peler et émincer l'ail avec un couteau tranchant.

2 Laver les gambas à l'eau froide et les essuyer avec du papier absorbant.

3 Faire chauffer le beurre et l'huile à feu vif dans une grande poêle. Ajouter l'ail et les gambas. Faire revenir en remuant sans arrêt 3 à 4 minutes, jusqu'à ce qu'elles soient devenues roses et opaques.

4 Ajouter le cognac (et flamber éventuellement). Saler et poivrer selon son goût. Parsemer de persil haché. Disposer dans des assiettes de service chaudes et servir accompagné des pâtes.

spaghettis al vongole

4 personnes

900 g de palourdes fraîches, grattées

2 cuil. à soupe d'huile d'olive

1 gros oignon, finement émincé

2 gousses d'ail, finement hachées

1 cuil. à café de thym frais

400 g de tomates concassées en boîte

150 ml de vin blanc

350 g de spaghettis secs

1 cuil. à soupe de persil frais haché

sel et poivre

4 brins de thym frais, en garniture

CONSEIL

Si vous ne trouvez que des gros clams, réservez-en plusieurs dans leur coquille pour garnir, et décoquillez le reste.

1 Mettre les palourdes dans une grande casserole avec un peu d'eau. Couvrir, cuire 3 à 4 minutes à feu vif, en remuant la casserole de temps en temps, jusqu'à ce qu'elles soient toutes ouvertes. Retirer du feu, filtrer et réserver le jus de cuisson. Jeter les coquillages qui restent fermés. Réserver.

2 Chauffer l'huile dans une casserole et y ajouter l'oignon. Faire fondre 10 minutes, sans laisser dorer. Ajouter l'ail et le thym et cuire 30 secondes.

3 Augmenter la flamme et ajouter le vin blanc. Laisser mijoter jusqu'à réduction et consistance sirupeuse. Ajouter les tomates et le jus de cuisson des palourdes réservé. Couvrir et laisser mijoter 15 minutes. Découvrir et laisser mijoter encore 15 minutes jusqu'à ce que la sauce ait épaissi. Saler et poivrer.

4 Entre-temps, porter une grande casserole d'eau légèrement salée à ébullition. Plonger les pâtes dans l'eau, porter de nouveau à ébullition et cuire 8 à 10 minutes, al dente.

5 Incorporer les palourdes dans la sauce tomate et réchauffer 2 à 3 minutes. Ajouter le persil et bien mélanger. Ajouter la sauce tomate aux pâtes et bien mélanger. Servir garni de brins de thym.

farfalle aux fruits de mer

4 personnes

12 crevettes tigrées crues

12 crevettes grises crues

125 g de crevettes d'eau douce

450 g de filet de dorade

60 g de beurre

12 noix de Saint-Jacques

jus et zeste, finement râpé
d'un citron

1 pincée de safran en poudre
ou de filaments de safran

1 litre de bouillon de légumes

150 ml de vinaigre de pétales
de rose (*voir* page 109)

450 g de farfalle sèches

1 cuil. à soupe d'huile d'olive

150 ml de vin blanc

1 cuil. à soupe de grains
de poivre rose

115 g de jeunes carottes

150 ml de crème fraîche épaisse
ou de fromage blanc

sel et poivre

persil frais, en garniture

1 Décortiquer et déveiner les crevettes. Couper la dorade en tranches fines. Faire fondre le beurre dans une poêle, ajouter dorade, Saint-Jacques et crevettes, et faire cuire 1 à 2 minutes.

2 Assaisonner avec du poivre noir. Ajouter le zeste et le jus de citron. Incorporer délicatement le safran au jus de cuisson (mais pas aux fruits de mer).

3 Retirer les fruits de mer de la poêle, réserver et tenir au chaud.

4 Remettre la poêle sur le feu et ajouter le bouillon de légumes. Porter à ébullition et faire réduire d'un tiers. Ajouter le vinaigre de pétales de rose et faire réduire 4 minutes.

5 Porter à ébullition une casserole d'eau salée. Ajouter les farfalle et l'huile d'olive, et cuire al dente. Égoutter et mettre dans un plat, avec les fruits de mer sur le dessus.

6 Mettre dans la poêle le vin, les grains de poivre et les carottes, et faire réduire la sauce 6 minutes. Ajouter la crème fraîche ou le fromage blanc, et faire mijoter 2 minutes.

7 Verser la sauce sur les fruits de mer et les pâtes, garnir et servir.

homard au beurre et aux farfallini

4 personnes

2 homards de 700 g chacun,
    coupés en deux
jus et zeste râpé d'un citron
115 g de beurre
4 cuil. à soupe de chapelure
2 cuil. à soupe de cognac
5 cuil. à soupe de crème fraîche
    épaisse
450 g de farfallini secs
1 cuil. à soupe d'huile d'olive
60 g de parmesan, fraîchement râpé
sel et poivre
GARNITURE
1 kiwi, coupé en rondelles
4 grosses crevettes, cuites
    et non décortiquées
branches d'aneth frais

1 Retirer délicatement la poche stomacale, les veines et les branchies de chaque homard. Détacher toute la chair de la queue et hacher. Casser pinces et pattes, détacher la chair et hacher. Mettre la chair dans une jatte, et ajouter jus et zeste de citron.

2 Bien laver les carapaces et les sécher à 165 °C (th. 5-6) au four préchauffé.

3 Faire fondre 25 g de beurre dans une poêle.
Ajouter la chapelure et faire rissoler 3 minutes environ.

4 Faire fondre le beurre restant dans une casserole et faire cuire la chair de homard à feu doux. Ajouter le cognac et faire encore cuire 3 minutes. Ajouter la crème fraîche, saler et poivrer.

5 Porter à ébullition une casserole d'eau légèrement salée. Ajouter les farfallini et l'huile d'olive, et faire cuire 12 minutes environ, al dente. Égoutter et remplir les carapaces avec les pâtes. Mettre le homard au beurre dessus, et parsemer de parmesan râpé et de chapelure. Faire gratiner 2 à 3 minutes.

6 Disposer les carapaces dans un plat chaud, garnir et servir immédiatement.

nouilles thaïlandaises

4 personnes

350 g de crevettes tigrées cuites,
   décortiquées
115 g de nouilles de riz plates
   ou de vermicelle de riz
4 cuil. à soupe d'huile
2 gousses d'ail, finement hachées
1 œuf
2 cuil. à soupe de jus de citron
4 cuil. à café ½ de sauce de poisson
   thaïe
2 cuil. à soupe de cacahuètes grillées
   et concassées
½ cuil. à café de poivre de Cayenne
½ cuil. à café de sucre
2 oignons verts, coupés
   en morceaux de 2,5 cm
50 g de germes de soja frais
1 cuil. à soupe de coriandre fraîche,
   hachée

1 Égoutter les crevettes sur du papier absorbant pour enlever l'excédent d'eau. Réserver. Cuire les nouilles ou le vermicelle de riz suivant les instructions figurant sur le paquet. Bien égoutter et réserver.

2 Chauffer l'huile dans un wok ou une grande sauteuse et ajouter l'ail. Faire blondir puis ajouter l'œuf et laisser cuire quelques secondes en remuant.

3 Ajouter les crevettes et les nouilles ou le vermicelle, en raclant les bords de la poêle pour bien mélanger le tout.

4 Ajouter le jus de citron, la sauce de poisson, le sucre, la moitié des cacahuètes, le poivre de Cayenne, les oignons verts et la moitié des germes de soja sans cesser de mélanger. Bien réchauffer tous les ingrédients 2 minutes à feu vif, sans cesser de remuer.

5 Transférer sur un plat de service chaud. Garnir du reste de cacahuètes et de germes de soja et parsemer de coriandre.

nouilles au sésame et à la crevette

4 personnes

- 1 gousse d'ail, hachée
- 1 oignon vert, émincé
- 1 petit piment rouge, épépiné
  et émincé
- 1 poignée de feuilles de coriandre
  fraîche
- 300 g de nouilles fines aux œufs
- 2 cuil. à soupe d'huile
- 1 cuil. à café de pâte de crevette
- 2 cuil. à café d'huile de sésame
- 180 g de crevettes crues, décortiquées
- 2 cuil. à soupe de jus de citron vert
- 2 cuil. à soupe de nuoc mam thaï
- 1 cuil. à café de graines
  de sésame grillées

1 Dans un mortier, piler l'ail,
l'oignon, le piment et la coriandre
jusqu'à obtenir une pâte homogène.

2 Verser les nouilles dans
une casserole d'eau bouillante
et porter de nouveau à ébullition. Laisser
cuire 4 minutes, ou en fonction
des instructions inscrites sur l'emballage.

3 Pendant ce temps, faire chauffer
l'huile dans un wok et, tout
en remuant, y verser la pâte de crevette
et la préparation à la coriandre. Laisser
cuire 1 minute à feu moyen en remuant.

4 Ajouter les crevettes en remuant
et faire sauter 2 minutes.
Ajouter le jus de citron vert et le nuoc
mam, et laisser cuire 1 minute de plus.

5 Égoutter les nouilles et les ajouter
au contenu du wok. Parsemer
le tout de graines de sésame et servir.

spaghettis à la sauce aux fruits de mer

4 personnes

225 g de spaghettis, coupés
   en morceaux de 15 cm de long
2 cuil. à soupe d'huile d'olive
300 ml de bouillon de volaille
1 cuil. à café de jus de citron
1 petit chou-fleur, en fleurettes
2 carottes, coupées
   en fines rondelles
115 g de pois mange-tout
60 g de beurre
1 oignon, émincé
225 g de courgettes, coupées
   en rondelles
1 gousse d'ail, hachée
350 g de crevettes surgelées cuites
   décortiquées, décongelées
2 cuil. à soupe de persil frais haché
25 g de parmesan,
   fraîchement râpé
½ cuil. à café de paprika
sel et poivre
4 crevettes, cuites et non
   décortiquées, en garniture
pain frais, en accompagnement

1 Porter à ébullition une casserole d'eau légèrement salée. Ajouter les spaghettis et 1 cuillerée à soupe d'huile d'olive. Faire cuire al dente. Égoutter, ajouter en remuant l'huile d'olive restante, couvrir et réserver au chaud.

2 Faire bouillir le bouillon de volaille et le jus de citron. Ajouter le chou-fleur et les carottes, et cuire 3 à 4 minutes. Retirer de la casserole et réserver. Ajouter les pois mange-tout et cuire 1 à 2 minutes. Réserver avec les autres légumes.

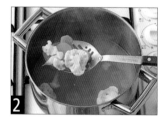

3 Faire fondre la moitié du beurre dans une poêle, et faire revenir 3 minutes l'oignon et les courgettes. Ajouter l'ail et les crevettes, et cuire encore 2 à 3 minutes.

4 Ajouter en remuant les légumes réservés et faire chauffer. Saler, poivrer et incorporer le beurre restant.

5 Mettre les spaghettis dans un plat chaud. Ajouter la sauce et le persil haché, et bien mélanger pour enrober les pâtes. Parsemer de parmesan et de paprika, garnir avec les crevettes non décortiquées et servir.

pâtes de Sicile

4 personnes

6 cuil. à soupe d'huile d'olive

4 cuil. à soupe de chapelure
   blanche

450 g de brocolis, en fleurettes

350 g de tagliatelles

4 filets d'anchois, égouttés, hachés

2 gousses d'ail, hachées

zeste râpé d'un citron

1 bonne pincée de flocons
   de piment

sel et poivre

parmesan frais râpé,
   en accompagnement

1 Dans une poêle, faire chauffer
2 cuillerées à soupe d'huile
d'olive puis faire revenir la chapelure
à feu moyen 4 à 5 minutes sans cesser
de remuer. Elle doit être dorée
et croustillante. Retirer et égoutter
sur du papier absorbant.

2 Porter à ébullition une casserole
d'eau légèrement salée, verser
les brocolis et blanchir 3 minutes.
Égoutter et réserver l'eau. Refroidir
sous l'eau froide, puis égoutter
et essuyer soigneusement
avec du papier absorbant. Réserver.

3 Porter l'eau de cuisson des brocolis
à ébullition, verser les tagliatelles
et faire cuire al dente, selon
les instructions figurant sur le paquet.

4 Faire chauffer 2 autres cuillerées
à soupe d'huile d'olive dans
une sauteuse ou un wok et faire
revenir les anchois 1 minute, puis
les écraser à l'aide d'une cuillère
en bois, pour obtenir une pâte.
Ajouter l'ail, le zeste de citron râpé
et les flocons de piment, et faire revenir
à feu doux 2 minutes. Ajouter
le brocoli et laisser cuire 3 à 4 minutes
pour réchauffer le tout.

5 Égoutter les pâtes et les ajouter
à la préparation au brocoli avec
les 2 cuillerées à soupe d'huile d'olive
restantes. Saler, poivrer et bien remuer.

6 Répartir les pâtes
dans des assiettes, parsemer
de chapelure grillée et de parmesan
râpé.

pâtes à la puttanesca

4 personnes

3 cuil. à soupe d'huile d'olive
   vierge extra

1 gros oignon rouge, finement émincé

4 filets d'anchois, égouttés

2 gousses d'ail, finement hachées

400 g de tomates concassées en boîte

1 pincée de flocons de piment

2 cuil. à soupe de concentré
   de tomates

225 g de spaghettis

25 g d'olives noires, dénoyautées
   et grossièrement hachées

25 g d'olives vertes, dénoyautées
   et grossièrement hachées

1 cuil. à soupe de câpres, rincées
   et égouttées

4 tomates séchées au soleil dans
   l'huile, égouttées et concassées

sel et poivre

fines herbes fraîches, en garniture

2 Entre-temps, porter une grande casserole d'eau salée à ébullition. Ajouter les spaghettis, porter de nouveau à ébullition et cuire al dente 8 à 10 minutes.

3 Incorporer dans la sauce les olives, les câpres et les tomates séchées au soleil. Laisser mijoter 2 à 3 minutes à feu doux. Saler et poivrer.

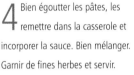

4 Bien égoutter les pâtes, les remettre dans la casserole et incorporer la sauce. Bien mélanger. Garnir de fines herbes et servir.

1 Chauffer l'huile d'olive dans une casserole et y ajouter l'oignon, les anchois et les miettes de piment. Faire fondre et blondir 10 minutes à feu doux, en remuant souvent. Ajouter l'ail et cuire 30 secondes. Ajouter les tomates et le concentré de tomates, augmenter la flamme à feu moyen et porter à ébullition. Réduire le feu et laisser mijoter 10 minutes.

tagliatelles aux moules et au safran

4 personnes

1 kg de moules

150 ml de vin blanc

1 oignon moyen, émincé

25 g de beurre

2 gousses d'ail, hachées

2 cuil. à café de maïzena

300 ml de crème fraîche épaisse

1 pincée de filaments de safran
   ou de safran en poudre

1 jaune d'œuf

jus d'un demi-citron

450 g de tagliatelles sèches

sel et poivre

3 cuil. à soupe de persil frais haché,
   en garniture

1 Gratter les moules et enlever les filaments sous l'eau froide. Éliminer toutes celles qui ne se referment pas au contact de la main. Mettre dans une casserole avec le vin et l'oignon. Couvrir et faire cuire à feu vif jusqu'à ouverture des coquilles.

2 Égoutter et réserver le jus de cuisson. Éliminer les moules qui ne se sont pas ouvertes. Réserver des moules entières et décortiquer les autres.

3 Filtrer le jus de cuisson dans une casserole. Porter à ébullition et faire réduire à peu près de moitié. Retirer du feu.

4 Faire fondre le beurre dans une casserole et faire dorer l'ail 2 minutes. Incorporer la maïzena et faire cuire 1 minute sans cesser de remuer. Incorporer peu à peu le jus de cuisson et la crème fraîche. Piler les filaments de safran et les mettre dans la casserole. Saler, poivrer et laisser mijoter 2 à 3 minutes, jusqu'à épaississement.

5 Incorporer jaune d'œuf, jus de citron et moules sans coquille. Ne pas laisser bouillir la préparation.

6 Porter à ébullition une casserole d'eau salée. Ajouter les pâtes, et faire cuire al dente. Égoutter et mettre dans un plat. Ajouter la sauce aux moules et remuer. Garnir de persil et de moules entières.

conchiglie aux moules

4 à 6 personnes

1,25 kg de moules

225 ml de vin blanc sec

2 gros oignons, émincés

115 g de beurre doux

300 ml de crème fraîche épaisse

6 grosses gousses d'ail,
    finement hachées

5 cuil. à soupe de persil frais haché

400 g de conchiglie sèches

1 cuil. à soupe d'huile d'olive

sel et poivre

pain frais, en accompagnement

1 Gratter les moules et enlever les filaments extérieurs sous l'eau froide. Éliminer celles qui ne se referment pas au contact de la main. Mettre dans une casserole avec le vin et la moitié des oignons. Couvrir et faire cuire à feu moyen, en secouant souvent, jusqu'à ouverture des coquilles.

2 Retirer du feu. Égoutter les moules et réserver le jus de cuisson. Éliminer toutes celles qui ne se sont pas ouvertes. Filtrer le jus et réserver.

3 Dans une poêle, faire revenir le reste des oignons dans le beurre, 2 à 3 minutes. Incorporer l'ail et faire cuire 1 minute. Incorporer peu à peu jus de cuisson, persil et crème fraîche. Saler, poivrer et laisser mijoter.

4 Mettre les pâtes et l'huile d'olive dans une casserole d'eau

CONSEIL

Les conchiglie conviennent bien pour cette recette, car la sauce se loge dans les cavités, et son goût imprègne les pâtes.

bouillante salée, et cuire al dente. Égoutter, remettre dans la casserole, couvrir et réserver au chaud.

5 Réserver des moules entières pour garnir, et retirer les autres de leur coquille pour les mélanger à la sauce à la crème.

6 Remettre à chauffer puis verser la sauce et les pâtes dans un plat et mélanger. Garnir de moules et servir avec du pain frais.

spaghettini au crabe

4 personnes

1 crabe paré d'environ 450 g
  (carapace comprise)

350 g de spaghettini

6 cuil. à soupe d'huile d'olive vierge
  extra

1 piment rouge fort, épépiné
  et finement émincé

2 gousses d'ail, finement hachées

1 cuil. à café de zeste de citron
  finement râpé

3 cuil. à soupe de persil frais haché

2 cuil. à soupe de jus de citron

sel et poivre

quartiers de citron, en garniture

CONSEIL

Si vous préférez acheter
un crabe frais, non préparé,
il vous faudra en choisir
un d'environ 1 kg.

1 À l'aide d'une cuillère, vider
la carapace du crabe de sa chair
pour la mettre dans une terrine.
Mélanger délicatement la chair brune
et la chair blanche, puis réserver.

2 Mettre les spaghettini dans une
casserole d'eau salée bouillante
et les faire cuire suivant le mode
d'emploi. Ils doivent être al dente.
Égoutter et remettre dans la casserole.

3 Faire chauffer 2 cuillerées à soupe
d'huile d'olive dans une poêle,
jusqu'à ce qu'elle soit bien chaude,
et faire revenir le piment
et l'ail 30 secondes.
Incorporer la chair de crabe, le persil,
le jus et le zeste de citron.
Faire revenir à feu vif 1 minute,
sans cesser de remuer, de façon
à bien réchauffer le crabe.

4 Verser la préparation au crabe
sur les pâtes avec le reste
d'huile d'olive, saler, poivrer et bien
mélanger. Garnir de quartiers de citron
et servir.

salade aux fruits de mer

4 personnes

450 g de calmars parés,
   coupés en lanières
750 g de moules cuites
450 g de coques au vinaigre
150 ml de vin blanc
300 ml d'huile d'olive
jus d'un citron
225 g de campanelle
   ou d'autres petites pâtes sèches
1 bouquet de ciboulette, ciselée
1 bouquet de persil frais, finement
   ciselé
mesclun
4 grosses tomates
sel et poivre
brins de basilic frais, en garniture

1 Mettre tous les fruits de mer dans une jatte, verser le vin et la moitié de l'huile d'olive, et réserver 6 heures.

2 Mettre la préparation dans une casserole et laisser mijoter 10 minutes, puis laisser refroidir.

3 Porter à ébullition une casserole d'eau légèrement salée. Ajouter les pâtes et 1 cuillerée à soupe d'huile d'olive, et faire cuire al dente. Bien égoutter et rafraîchir à l'eau courante.

4 Filtrer environ la moitié du jus de cuisson des fruits de mer et jeter le reste. Incorporer le jus de citron, la ciboulette, le persil et l'huile d'olive restante. Saler et poivrer. Égoutter les pâtes et ajouter les fruits de mer.

5 Couper les tomates en quartiers ou en rondelles. Couper les feuilles de salade en lanières et en garnir le fond d'un saladier. Poser dessus la salade aux fruits de mer et garnir avec les tomates et un brin de basilic, puis servir.

VARIANTE
Vous pouvez remplacer les moules par des noix de Saint-Jacques cuites et les coques par des clams en saumure.

pasta con le vongole

4 personnes

675 g de palourdes fraîches
    ou 280 g de palourdes en boîte,
    égouttées
2 cuil. à soupe d'huile d'olive
2 gousses d'ail, finement hachées
400 g de fruits de mer mélangés
    (calmars, crevettes et moules,
    par exemple) crus
150 ml de vin blanc
150 ml de bouillon de poisson
2 cuil. à soupe d'estragon haché
sel et poivre
675 g de pâtes fraîches
    ou 350 g de pâtes sèches

VARIANTE

On peut varier la sauce
en ajoutant 8 cuillerées à soupe
de purée de tomates en même
temps que le bouillon
à l'étape 4. Suivre la même
méthode de cuisson.

1 Brosser soigneusement
les palourdes fraîches.
Jeter les coquillages ouverts.

2 Chauffer l'huile dans une poêle.
Ajouter l'ail et les palourdes
et cuire 2 minutes, en secouant
la poêle pour bien napper tous
les coquillages d'huile.

3 Ajouter les autres fruits de mer
et cuire encore 2 minutes.

4 Verser le vin et le bouillon
de poisson sur les fruits de mer
et porter à ébullition. Couvrir la poêle,
réduire le feu et laisser mijoter 8 à
10 minutes jusqu'à ce
que les coquillages s'ouvrent. Jeter les
palourdes ou les moules non ouvertes.

5 Cuire les pâtes dans une casserole
d'eau bouillante selon
les instructions du paquet jusqu'à ce
qu'elles soient cuites al dente.
Égoutter.

6 Incorporer l'estragon
dans la sauce. Saler et poivrer.

7 Transférer les pâtes dans un plat
de service et napper de sauce.

nouilles de Singapour

4 personnes

- 225 g de nouilles aux œufs sèches
- 6 cuil. à soupe d'huile
- 4 œufs, battus
- 3 gousses d'ail, hachées
- 1 cuil. à café ½ de poudre
  de piment
- 175 g de germes de soja
- 225 g de blanc de poulet, sans la
  peau et coupé en lanières
- 1 poivron vert, épépiné et coupé
  en rondelles
- 2 piments rouges frais, émincés
- 4 oignons verts, émincés
- 3 branches de céleri, émincées
- 25 g de châtaignes d'eau, coupées
  en quatre
- 300 g de crevettes cuites,
  décortiquées
- 2 cuil. à café d'huile de sésame

CONSEIL

Lorsque vous mélangez des aliments déjà cuits tels que les œufs et les nouilles, assurez-vous qu'ils sont encore bien chauds afin de les servir immédiatement.

1 Faire tremper les nouilles 4 minutes dans l'eau bouillante, jusqu'à ce qu'elles aient ramolli. Laisser égoutter sur du papier absorbant et réserver au chaud.

2 Faire chauffer 2 cuillerées à soupe d'huile dans un wok préchauffé ou une sauteuse. Y faire cuire les œufs. Les retirer du wok et réserver au chaud.

3 Verser le reste d'huile dans le wok. Ajouter l'ail et la poudre de piment, et faire sauter 30 secondes.

4 Ajouter le poulet et faire sauter 4 à 5 minutes, jusqu'à ce qu'il commence à dorer.

5 Incorporer le céleri, le poivron, l'oignon vert, les châtaignes d'eau et le piment, et laisser cuire 8 minutes, jusqu'à ce que le poulet soit complètement cuit.

6 Incorporer les crevettes, les nouilles réservées et les germes de soja, et bien mélanger.

7 À l'aide d'une fourchette, émietter les œufs cuits et en parsemer les nouilles. Arroser d'huile de sésame. Servir immédiatement.

Pâtes aux légumes

Vous trouverez dans ce chapitre non seulement des plats végétariens nourrissants, mais aussi des garnitures de légumes et des salades originales pour accompagner vos plats principaux, c'est-à-dire des recettes pour chaque circonstance. Il vous offrira aussi des recettes de salades pour accompagner parfaitement vos barbecues ou emporter en pique-nique. Vous pourrez rester dans les plats classiques, en cuisinant des cannellonis traditionnels, des pâtes au pistou ou des spaghettis aux champignons, ou bien vous lancer dans une cuisine plus imaginative et essayer de nouvelles associations de légumes et de pâtes telles que les spaghettis aux artichauts et aux olives, les lasagnes aux épinards, les raviolis farcis aux légumes et les macaronis aux trois fromages, recettes idéales pour un repas familial, ou encore les nouilles frites aux légumes que vous servirez en accompagnement.

pâtes aux pignons et au fromage

4 personnes

55 g de pignons

350 g de pâtes fantaisies (farfalle)

125 g de brocolis, en fleurettes

2 courgettes, coupées en rondelles

200 g de fromage frais

150 ml de lait

1 cuil. à soupe de basilic frais haché

125 g de champignons de Paris,
   émincés

85 g de bleu, écrasé

sel et poivre

4 brins de basilic, en garniture

salade verte, en accompagnement

1 Étaler les pignons sur une plaque de cuisson et les faire dorer sous un gril préchauffé en les retournant de temps en temps. Réserver.

2 Porter à ébullition une grande casserole d'eau légèrement salée à feu moyen. Ajouter les pâtes et faire cuire al dente, 8 à 10 minutes, selon les instructions figurant sur le paquet.

3 Porter à ébullition une grande casserole d'eau légèrement salée à feu moyen. Ajouter les brocolis et les courgettes et les faire cuire 3 à 5 minutes, jusqu'à ce qu'ils soient juste tendres.

4 Pendant ce temps faire fondre dans une casserole à feu doux

le fromage frais en remuant. Ajouter le lait, mélanger. Ajouter le basilic et les champignons. Faire cuire 2 à 3 minutes, incorporer le bleu au mélange, saler et poivrer.

5 Égoutter les légumes et les pâtes, et les mélanger. Verser dessus la sauce au fromage et aux champignons, et les pignons ; mélanger délicatement. Disposer dans des assiettes de service, garnir de brins de basilic et servir avec une salade verte.

pâtes patriotes

4 personnes

450 g de farfalle

4 cuil. à soupe d'huile d'olive

450 g de tomates cerises

90 g de roquette

sel et poivre

pecorino, en garniture

1 Porter à ébullition une casserole d'eau légèrement salée, y verser les farfalle avec 1 cuillerée à soupe de l'huile d'olive et laisser cuire 8 à 10 minutes ou al dente. Bien les égoutter et les reverser.

2 Couper les tomates cerises en deux et laver la roquette.

3 Dans une casserole, faire chauffer le reste d'huile et faire revenir les tomates 1 minute. Ajouter les farfalle et la roquette, et remuer pour mélanger le tout. Réchauffer le mélange, saler et poivrer.

4 À l'aide d'un économe, couper de fins copeaux de pecorino.

5 Verser les farfalle aux légumes dans un plat chaud, garnir de copeaux de fromage et servir.

CONSEIL

Le pecorino est un fromage dur de brebis qui ressemble au parmesan. On l'utilise râpé dans de nombreux plats. À cause de son goût âpre, on ne l'utilise qu'en petites quantités.

tagliatelles sauce à l'ail

4 personnes

2 cuil. à soupe d'huile de noix

1 bouquet d'oignons verts, émincés

2 gousses d'ail, finement hachées

225 g de champignons, émincés

500 g de tagliatelles vertes
ou blanches

225 g d'épinards en branches
surgelés, décongelés et égouttés

125 g de fromage frais à l'ail et aux
fines herbes

4 cuil. à soupe de crème fraîche
allégée

55 g de pistaches, broyées
non salées

2 cuil. à soupe de basilic frais ciselé

sel et poivre

4 brins de basilic frais, en garniture

pain italien, en accompagnement

1 Faire chauffer l'huile de noix à feu doux dans une poêle. Ajouter les oignons et l'ail. Faire revenir 1 minute, jusqu'à ce qu'ils soient tendres. Ajouter les champignons, bien mélanger et couvrir. Faire cuire 5 minutes, jusqu'à ce que les légumes soient tendres.

2 Porter à ébullition une casserole d'eau légèrement salée à feu moyen et faire cuire les pâtes al dente, 8 à 10 minutes selon les instructions figurant sur le paquet. Les égoutter et les remettre dans la casserole.

3 Ajouter les épinards aux champignons. Faire chauffer 1 à 2 minutes, ajouter le fromage frais et le faire fondre. Verser la crème et chauffer à feu doux sans laisser bouillir.

4 Verser le mélange de légumes sur les pâtes. Saler et poivrer. Bien mélanger et faire réchauffer doucement en remuant, 2 à 3 minutes.

5 Mettre la préparation dans un plat de service chaud. Parsemer avec les pistaches hachées et le basilic ciselé. Garnir de brins de basilic frais et servir avec du pain italien.

nouilles de riz sautées aux haricots verts

4 personnes

280 g de nouilles de riz plates

3 cuil. à soupe d'huile d'arachide

2 gousses d'ail, hachées

2 échalotes, émincées

225 g de haricots verts, coupés

100 g de tomates cerises, coupées
en deux

1 cuil. à café de piment en flocons

4 cuil. à soupe de beurre
de cacahuètes croquant

150 ml de lait de coco

1 cuil. à soupe de purée de tomates

VARIANTE

Pour un repas plus substantiel,
ajouter des tranches de poulet
ou de bœuf et faire sauter
avec les haricots
et les nouilles à l'étape 5.

1 Mettre les nouilles de riz dans une grande terrine et les recouvrir d'eau bouillante. Laisser tremper 10 minutes.

2 Faire chauffer l'huile d'arachide dans un grand wok préchauffé. Faire revenir l'ail et les échalotes 1 minute. Égoutter soigneusement les nouilles de riz.

3 Ajouter les haricots verts et les nouilles égouttées dans le wok et faire sauter 5 minutes. Ajouter les tomates cerises et bien mélanger.

4 Mélanger les flocons de piment, le beurre de cacahuètes, le lait de coco et la purée de tomates. Verser le mélange pimenté sur les nouilles, bien remuer et chauffer.

5 Disposer dans des assiettes chaudes et servir immédiatement.

raviolis farcis aux légumes

4 personnes

450 g de pâtes à nouilles
(*voir* page 50) sans estragon
90 g de beurre
150 ml de crème fraîche allégée
75 g de parmesan, fraîchement râpé

FARCE
2 grosses aubergines
3 grosses courgettes
6 grosses tomates
1 gros poivron vert
1 gros poivron rouge
3 gousses d'ail
1 gros oignon
120 ml d'huile d'olive
60 g de concentré de tomates
½ cuil. à café de persil frais haché
sel et poivre
1 brin de basilic frais, en garniture

1 Pour la farce, couper les aubergines et les courgettes en tronçons de 2,5 cm. Saupoudrer les aubergines de sel et laisser dégorger 20 minutes. Rincer et égoutter soigneusement.

2 Blanchir les tomates 2 minutes. Égoutter, peler et concasser la chair. Évider et épépiner les poivrons, et les couper en dés de 2,5 cm. Hacher l'ail et l'oignon.

3 Faire chauffer l'huile dans une casserole, et faire revenir 3 minutes l'ail et l'oignon.

4 Ajouter les autres ingrédients de la farce, saler et poivrer. Couvrir et laisser mijoter 20 minutes en remuant fréquemment.

5 Abaisser la pâte à nouilles et découper des ronds de 7,5 cm. Mettre 1 cuillerée de farce sur chacun. Humecter les bords et les replier en appuyant pour les souder.

6 Porter à ébullition une casserole d'eau salée. Ajouter les raviolis et l'huile, et faire cuire 3 à 4 minutes. Égoutter et mettre dans un plat, avec une noix de beurre sur chaque couche. Verser la crème fraîche et parsemer de parmesan. Faire cuire au four préchauffé, 20 minutes à 210 °C (th. 7). Garnir et servir.

tagliatelles à la sauce de courgettes

4 personnes

650 g de courgettes

6 cuil. à soupe d'huile d'olive

3 gousses d'ail, hachées

3 cuil. à soupe de basilic
   haché

2 piments rouges, émincés

5 cuil. à soupe de crème fraîche
   allégée

jus d'un gros citron

4 cuil. à soupe de parmesan râpé

225 g de tagliatelles

sel et poivre

CONSEIL

Vous pouvez remplacer
le citron par du jus
et du zeste
de citron vert.

1 À l'aide d'un économe, couper
les courgettes en fines lamelles
dans la longueur.

2 Chauffer l'huile dans une poêle
et faire revenir l'ail 30 secondes.

3 Ajouter les courgettes et faire
cuire 5 à 7 minutes à feu doux,
sans cesser de remuer. Ajouter le
basilic, les piments, le jus de citron, la
crème fraîche et le parmesan râpé.
Saler et poivrer.

4 Pendant ce temps, faire cuire
les tagliatelles al dente
10 minutes dans une grande casserole
d'eau bouillante salée. Égoutter
et transférer dans un plat de service
chaud.

5 Disposer les courgettes sur les
pâtes et servir immédiatement.

spaghettis aux artichauts et olives

4 personnes

2 cuil. à soupe d'huile d'olive

1 oignon rouge, coupé en quartiers

2 gousses d'ail, hachées

1 cuil. à soupe de jus de citron

4 petites aubergines, coupées
en quatre

600 ml de coulis de tomates

2 cuil. à café de sucre en poudre

2 cuil. à soupe de concentré
de tomates

400 g de cœurs d'artichauts en boîte,
égouttés, coupés en deux

115 g d'olives noires, dénoyautées

350 g de spaghettis à la farine
complète

sel et poivre

4 brins de basilic frais, en garniture

1 Faire chauffer 1 cuillerée à soupe d'huile à feu doux dans une grande poêle. Ajouter l'oignon, l'ail, le jus de citron et les aubergines. Faire blondir 4 à 5 minutes.

2 Ajouter le coulis de tomates. Saler et poivrer. Incorporer le sucre et le concentré de tomates. Porter à ébullition à feu moyen, réduire le feu et laisser mijoter 20 minutes.

3 Incorporer délicatement les cœurs d'artichauts et les olives, et laisser cuire environ 5 minutes.

4 Pendant ce temps, porter à ébullition une grande casserole d'eau légèrement salée à feu moyen. Ajouter les pâtes et faire cuire al dente, 8 à 10 minutes, selon les instructions figurant sur le paquet. Égoutter, ajouter le reste d'huile, saler et poivrer.

5 Disposer les spaghettis dans des assiettes chaudes. Répartir la sauce sur les pâtes, garnir de brins de basilic et servir.

cannolicchi aux betteraves

4 personnes

300 g de ditalini rigati secs

4 cuil. à soupe d'huile d'olive

2 gousses d'ail, hachées

400 g de tomates concassées
en boîte

sel et poivre

400 g de betteraves, cuites,
coupées en dés

2 cuil. à soupe de feuilles
de basilic frais, hachées

1 cuil. à café de graines de moutarde

ACCOMPAGNEMENT

mesclun, assaisonné à l'huile d'olive

4 olivettes italiennes,
coupées en rondelles

1 Porter à ébullition une casserole
d'eau salée. Ajouter les pâtes
et 1 cuillerée à soupe d'huile,
et cuire 10 minutes, al dente.
Égoutter et réserver.

2 Faire chauffer l'huile restante dans
une casserole et faire revenir l'ail
3 minutes. Ajouter les tomates
concassées et cuire 10 minutes.

3 Retirer la casserole du feu
et ajouter délicatement
les betteraves, le basilic, les graines
de moutarde et les pâtes.
Saler et poivrer.

4 Servir sur un lit de mesclun
assaisonné à l'huile d'olive,
avec des rondelles de tomate.

pâtes pimentées au poivron

4 personnes

2 poivrons rouges, coupés
en deux et épépinés

1 petit piment rouge

2 gousses d'ail

4 tomates, coupées en deux

50 g d'amandes en poudre

675 g de pâtes fraîches
ou 350 g de pâtes sèches

7 cuil. à soupe d'huile d'olive

feuilles d'origan frais, en garniture

1 Poser les poivrons et les tomates, peau vers le haut, sur une plaque de cuisson avec le piment et l'ail. Cuire au gril préchauffé 15 minutes, jusqu'à noircissement. Retourner les tomates après 10 minutes.

2 Mettre dans un sac en plastique (type congélation) les poivrons et piment, et laisser suer 10 minutes.

3 Retirer la peau des poivrons et du piment et couper la chair en lanières.

4 Éplucher l'ail, monder et épépiner les tomates.

5 Mettre les amandes en poudre sur une plaque de cuisson et faire dorer 2 à 3 minutes au gril.

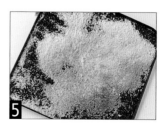

VARIANTE

Ajoutez 2 cuillerées à soupe de vinaigre de vin rouge à la sauce pour assaisonner une salade de pâtes froides.

6 Réduire en purée au mixeur les poivrons, le piment, l'ail et les tomates. Sans arrêter le moteur, ajouter progressivement l'huile d'olive pour obtenir une sauce épaisse. À défaut de mixeur, réduire le mélange en purée à la fourchette et incorporer l'huile d'olive goutte à goutte en fouettant.

7 Incorporer les amandes en poudre grillées.

8 Chauffer la sauce dans une casserole.

9 Cuire les pâtes dans de l'eau bouillante selon les instructions figurant sur le paquet, jusqu'à ce qu'elles soient al dente. Les égoutter et les transférer dans un plat de service. Napper de sauce et mélanger. Garnir de feuilles d'origan frais.

pâtes au pistou

4 personnes

225 g de champignons
de Paris, en tranches

150 ml de bouillon de légumes

175 g d'asperges vertes, coupées
en morceaux de 5 cm de long

300 g de tagliatelles vertes et
blanches

400 g de cœurs d'artichauts en
boîte, égouttés, coupés en deux

grissini, en accompagnement

PISTOU

2 grosses gousses d'ail, hachées

15 g de feuilles de basilic fraîches,
lavées

6 cuil. à soupe de yaourt nature
allégé

2 cuil. à soupe de parmesan
fraîchement râpé

sel et poivre

GARNITURE

feuilles de basilic, en lanières

copeaux de parmesan

1 Mettre le bouillon et les
champignons dans une casserole.
Porter à ébullition, couvrir et laisser
cuire à feu doux 3 à 4 minutes.
Égoutter et réserver.

2 Porter une casserole d'eau à
ébullition et faire cuire les
asperges 3 à 4 minutes, jusqu'à
ce qu'elles soient tendres. Égoutter
et réserver.

3 Porter une casserole d'eau
légèrement salée à ébullition
et faire cuire les tagliatelles selon
le mode d'emploi figurant sur le
paquet. Égoutter, remettre dans la
casserole et garder au chaud.

4 Passer les ingrédients du pistou
dans un mixeur jusqu'à ce que le
mélange soit homogène, ou hacher
finement le basilic et mélanger le tout.

5 Ajouter les champignons, les
asperges et les cœurs d'artichauts
aux pâtes, et faire cuire à feu doux 2 à
3 minutes en remuant. Retirer du feu et
mélanger avec le pistou.

6 Verser dans un plat chaud. Garnir
de lanières de feuilles de basilic
frais et de copeaux de parmesan.
Éventuellement servir accompagné
de grissini.

spaghettis aux champignons

4 personnes

60 g de beurre

2 cuil. à soupe d'huile

6 échalotes, émincées

450 g de champignons de Paris,
   émincés

1 cuil. à café de farine

150 ml de crème fraîche épaisse

2 cuil. à soupe de porto

115 g de tomates séchées
   au soleil, émincées

noix muscade, fraîchement râpée

450 g de spaghettis

1 cuil. à soupe de persil frais haché

sel et poivre

6 triangles de pain de mie grillé,
   en accompagnement

1 Faire chauffer le beurre
et 1 cuillerée à soupe d'huile dans
une casserole. Ajouter les échalotes
et cuire 3 minutes à feu moyen.
Ajouter les champignons et cuire à feu
doux encore 2 minutes. Saler, poivrer,

saupoudrer de farine et faire cuire
1 minute, sans cesser de remuer.

2 Ajouter peu à peu la crème et le
porto, les tomates et la muscade.
Faire mijoter 8 minutes à feu doux.

3 Porter à ébullition une casserole
d'eau légèrement salée. Ajouter
les spaghettis et le reste d'huile. Faire
cuire les pâtes al dente 12 à 14 minutes.

VARIANTE

Si vous n'êtes pas végétarien,
vous pouvez ajouter, à la sauce
aux champignons, 115 g de
jambon de Parme coupé en
lanières et réchauffé doucement
dans 25 g de beurre.

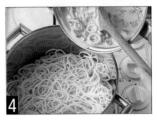

4 Égoutter les spaghettis
et les remettre dans la casserole.
Incorporer la sauce aux champignons
et laisser cuire 3 minutes. Mettre
la préparation dans un grand plat
de service, garnir de persil et servir
avec le pain de mie grillé.

paglia e fieno

4 personnes

4 cuil. à soupe de beurre

450 g de petits pois frais, écossés

200 ml de crème fraîche épaisse

1 cuil. à soupe d'huile d'olive

sel et poivre

60 g de parmesan frais, râpé, plus
    quelques copeaux en garniture

1 pincée de noix muscade
    fraîchement râpée

450 g de mélange de spaghettis ou
    de tagliatelles verts et blancs frais

VARIANTE

Faites revenir 140 g
de champignons de Paris
dans 55 g de beurre,
4 à 5 minutes. Incorporer
les petits pois et la crème avant
d'ajouter les pâtes.

---

1 Dans une grande casserole, faire
fondre le beurre et faire revenir les
petits pois à feu doux 2 à 3 minutes.

2 Verser 150 ml de la crème dans
la casserole, porter à ébullition
et laisser mijoter 1 minute à 1 min 30,
de façon à faire épaissir. Retirer ensuite
la casserole du feu.

3 Pendant ce temps, porter
à ébullition une grande casserole
d'eau légèrement salée, y verser
les spaghettis ou les tagliatelles
avec l'huile d'olive et laisser cuire
3 à 4 minutes al dente. Retirer
la casserole du feu, bien égoutter
les pâtes et les reverser dans la
casserole.

4 Ajouter la sauce à la crème
et aux petits pois dans la casserole,
remettre celle-ci sur le feu et ajouter
le reste de crème et le parmesan. Saler,
poivrer et ajouter la noix muscade.

5 À l'aide de 2 fourchettes, remuer
délicatement les pâtes de façon
à bien les enrober de la sauce pendant
que le tout réchauffe.

6 Verser les pâtes dans un plat
et servir en décorant
avec des copeaux de parmesan.

pâtes aux légumes verts

4 personnes

225 g de gemelli ou d'une autre
    sorte de pâtes sèches
1 cuil. à soupe d'huile d'olive
1 tête de brocoli, en fleurettes
2 courgettes, coupées en rondelles
225 g d'asperges vertes
115 g de pois mange-tout
115 g de petits pois surgelés
2 cuil. à soupe de beurre
3 cuil. à soupe de bouillon
    de légumes
4 cuil. à soupe de crème épaisse
noix muscade, fraîchement râpée
2 cuil. à soupe de persil frais haché
2 cuil. à soupe de parmesan frais
    haché
sel et poivre

1 Porter à ébullition une casserole d'eau légèrement salée, y verser les pâtes avec l'huile d'olive et laisser cuire al dente, 8 à 10 minutes. Les égoutter, couvrir et réserver au chaud.

2 Faire cuire le brocoli, les courgettes, les pointes d'asperges et les pois mange-tout à la vapeur au-dessus d'une casserole d'eau bouillante, jusqu'à ce qu'ils soient tendres. Retirer du feu et rafraîchir sous l'eau froide. Égoutter et réserver.

3 Porter à ébullition une casserole d'eau légèrement salée, y verser les petits pois et les cuire 3 minutes. Égoutter, passer sous l'eau froide et égoutter de nouveau. Réserver.

4 Mettre le beurre avec le bouillon de légumes dans une casserole à feu moyen et ajouter tous les légumes, en réservant des pointes d'asperges. Faire revenir sans cesser de remuer à l'aide d'une cuillère en bois, jusqu'à ce qu'ils soient bien chauds, en prenant soin de ne pas les casser.

5 Incorporer la crème et bien faire chauffer le tout sans laisser bouillir. Saler, poivrer, et ajouter de la noix muscade.

6 Verser les pâtes dans un plat chaud et ajouter le persil haché. Verser la sauce aux légumes sur les pâtes et parsemer de parmesan. Garnir des pointes d'asperges réservées et servir.

pâtes à la sauce tomate à l'italienne

2 personnes

1 cuil. à soupe d'huile d'olive

1 petit oignon, émincé

1 à 2 gousses d'ail, hachées

350 g de tomates, pelées
   et épépinées

2 cuil. à soupe de concentré de
   tomates

2 cuil. à soupe d'eau

300 à 350 g de pâtes fantaisies

85 g de poitrine fumée maigre
   ou de lardons (facultatif)

40 g de champignons de Paris,
   émincés

1 cuil. à soupe de persil
   ou de coriandre fraîche haché

2 cuil. à soupe de crème fraîche
   épaisse ou de fromage frais
   (facultatif)

sel et poivre

1 Pour préparer la sauce, faire chauffer l'huile à feu doux dans une sauteuse. Y faire revenir l'oignon et l'ail jusqu'à ce qu'ils soient translucides.

2 Verser les tomates, le concentré de tomates et l'eau dans la sauteuse. Saler, poivrer et porter à ébullition. Couvrir et laisser mijoter 10 minutes.

3 Porter à ébullition une casserole d'eau légèrement salée à feu moyen. Ajouter les pâtes et faire cuire al dente, 8 à 10 minutes, selon les instructions figurant sur le paquet. Égoutter et disposer dans des assiettes.

4 Faire revenir les champignons à la poêle 3 à 4 minutes à feu moyen dans un peu d'huile. Les laisser égoutter sur du papier absorbant.

5 Verser les champignons dans la sauce tomate. Ajouter le persil ou la coriandre et la crème ou le fromage frais. Réchauffer et servir avec les pâtes.

CONSEIL

Pour une variante non végétarienne, faites revenir des lardons et cuisez les champignons dans leur graisse. Remplacez la crème fraîche par du fromage frais pour une sauce moins grasse.

pâtes et haricots blancs en cocotte

4 personnes

225 g de haricots blancs secs, mis
    à tremper la veille et égouttés
225 g de penne sèches
6 cuil. à soupe d'huile d'olive
850 ml de bouillon de légumes
2 gros oignons, émincés
2 gousses d'ail, hachées
2 feuilles de laurier
1 cuil. à café d'origan séché
1 cuil. à café de thym séché
5 cuil. à soupe de vin rouge
2 cuil. à soupe de concentré
    de tomates
2 branches de céleri, émincées
115 g de champignons, émincés
225 g de tomates, coupées
    en rondelles
1 bulbe de fenouil, émincé
1 cuil. à café de sucre de canne brun
4 cuil. à soupe de chapelure blanche
sel et poivre
ACCOMPAGNEMENT
feuilles de salade
pain frais

1 Mettre les haricots blancs dans
une casserole et recouvrir d'eau
froide. Porter à ébullition et faire cuire
20 minutes à gros bouillons. Égoutter,
réserver au chaud.

2 Porter à ébullition une casserole
d'eau légèrement salée. Ajouter
les penne et 1 cuillerée à soupe d'huile
d'olive, et faire cuire 3 minutes environ.
Égoutter et réserver au chaud.

3 Mettre les haricots dans une
grande cocotte. Verser le bouillon
de légumes et ajouter en remuant l'huile
d'olive restante, les oignons, l'ail,
le laurier, l'origan, le thym, le vin
et le concentré de tomates. Porter
à ébullition, couvrir et faire cuire au four
préchauffé, 2 heures à 180 °C (th. 6).

4 Ajouter les penne, le céleri,
le fenouil, les champignons
et les tomates, saler et poivrer
à son goût. Incorporer le sucre
et parsemer de chapelure.
Couvrir et faire cuire encore 1 heure
au four.

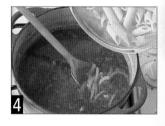

5 Servir très chaud avec des feuilles
de salade et du pain frais.

lasagnes aux épinards

4 personnes

115 g de beurre,
    un peu plus pour graisser
2 gousses d'ail, finement hachées
115 g d'échalotes
225 g de champignons sauvages,
    des chanterelles, par exemple
60 g de farine
450 g d'épinards, cuits, égouttés
    et finement hachés
225 g de cheddar
    ou d'emmenthal, râpé
¼ de cuil. à café de noix muscade
    fraîchement râpée
1 cuil. à café de basilic frais haché
600 ml de lait, chaud
60 g de chester ou de comté, râpé
sel et poivre
8 feuilles de lasagnes, précuites

1 Beurrer légèrement un plat à gratin.

2 Dans une casserole, faire revenir la moitié du beurre et faire revenir l'ail, les échalotes et les champignons 3 minutes à feu doux, jusqu'à ce qu'ils soient tendres. Ajouter en remuant les épinards, le cheddar ou l'emmenthal, la noix muscade et le basilic. Saler, poivrer et réserver.

3 Faire fondre le reste du beurre dans une autre casserole à feu doux, ajouter la farine et faire cuire 1 minute sans cesser de remuer. Incorporer progressivement le lait chaud, sans cesser de battre, jusqu'à ce que le mélange soit homogène. Incorporer ensuite le chester ou le comté, saler et poivrer.

4 Étaler la moitié de la préparation aux épinards et aux champignons dans le fond du plat beurré, recouvrir avec une couche de lasagnes, puis avec la moitié de la sauce au fromage. Répéter l'opération et parsemer avec le reste du chester ou du comté.

penne aux olives et aux poivrons

4 personnes

225 g de penne

2 cuil. à soupe d'huile d'olive

2 cuil. à soupe de beurre

1 poivron vert, épépiné et coupé
en lanières

1 poivron jaune, épépiné et coupé
en lanières

2 gousses d'ail, hachées

16 tomates cerises, coupées
en deux

1 cuil. à soupe d'origan, haché

125 ml de vin blanc sec

75 g de roquette

2 cuil. à soupe d'olives noires
dénoyautées et coupées
en quatre

sel et poivre

feuilles d'origan frais, en garniture

VARIANTE

Utilisez une casserole
suffisamment grande pour
que les pâtes ne s'agrègent
pas à la cuisson.

1 Faire cuire les pâtes 8 à
10 minutes dans une casserole
d'eau bouillante salée, al dente.
Bien égoutter.

2 Chauffer l'huile et le beurre dans
une casserole jusqu'à ce que
le beurre soit fondu. Faire revenir l'ail
30 secondes. Ajouter les poivrons
et faire cuire encore 3 à 4 minutes
en remuant.

3 Ajouter les tomates cerises, l'origan,
le vin et les olives, et faire cuire
3 à 4 minutes. Saler, poivrer et ajouter
la roquette ; la laisser légèrement réduire.

4 Verser les pâtes dans un plat de
service, napper avec la sauce et
bien mélanger. Servir immédiatement.

fusilli au tofu et légumes

4 personnes

225 g d'asperges vertes

115 g de haricots mange-tout

225 g de haricots verts

1 poireau

225 g de fèves, écossées

300 g de fusilli

2 cuil. à soupe d'huile d'olive

2 cuil. à soupe de beurre
   ou de margarine

1 gousse d'ail, hachée

225 g de tofu, coupé en cubes
   de 2,5 cm de côté

55 g d'olives vertes dénoyautées
   en saumure, égouttées

sel et poivre

parmesan râpé,
   en accompagnement

1 Couper les asperges en tronçons de 5 cm avec un couteau tranchant. Couper les haricots verts en biais en tronçons de 2,5 cm. Émincer le poireau. Réserver.

2 Porter à ébullition une grande casserole d'eau légèrement salée à feu moyen. Ajouter les asperges, les haricots verts et les fèves. Faire blanchir 4 minutes. Égoutter, rincer immédiatement à l'eau froide, et égoutter de nouveau. Réserver.

3 Porter à ébullition une grande casserole d'eau légèrement salée à feu moyen. Ajouter les pâtes et faire cuire al dente, 8 à 10 minutes, selon les instructions figurant sur le paquet. Égoutter et ajouter 1 cuillerée à soupe d'huile, bien mélanger, saler et poivrer.

4 Faire chauffer un wok à feu doux. Y verser le reste d'huile et le beurre ou la margarine. Quand le mélange est chaud, ajouter le poireau, l'ail et le tofu. Faire revenir doucement 1 à 2 minutes pour attendrir les légumes.

5 Ajouter les mange-tout et cuire encore 1 minute.

6 Verser les légumes blanchis et les olives dans le wok et réchauffer le tout 1 minute. Incorporer délicatement les pâtes au mélange. Rectifier l'assaisonnement. Réchauffer 1 minute et disposer dans un plat de service. Servir accompagné de parmesan râpé.

cannellonis de légumes

4 personnes

1 aubergine
125 ml d'huile d'olive
225 g d'épinards frais
2 gousses d'ail, hachées
1 cuil. à café de cumin moulu
75 g de champignons, hachés
12 cannellonis
sel et poivre

SAUCE TOMATE

1 cuil. à soupe d'huile d'olive
1 oignon, émincé
2 gousses d'ail écrasées
800 g de tomates en boîte
1 cuil. à café de sucre en poudre
2 cuil. à soupe de basilic frais haché
50 g de mozzarella, coupée
    en tranches

1 Couper l'aubergine en dés. Faire chauffer l'huile dans une poêle et faire revenir l'aubergine 2 à 3 minutes.

2 Ajouter les épinards, l'ail, le cumin et les champignons. Saler, poivrer et faire cuire encore 2 à 3 minutes en remuant. Fourrer les cannellonis avec ce mélange et les disposer sur une seule épaisseur dans un plat à gratin graissé.

3 Pour faire la sauce, faire chauffer l'huile d'olive dans une casserole et faire revenir l'oignon et l'ail 1 minute. Ajouter les tomates, le sucre et le basilic, et porter à ébullition. Baisser le feu et laisser mijoter 5 minutes environ. Verser la sauce sur les cannellonis.

4 Disposer les tranches de mozzarella sur la sauce et mettre 30 minutes au four préchauffé à 190 °C (th. 6), jusqu'à ce que le fromage soit bien doré. Servir immédiatement.

macaronis gratinés à la sauce tomate

4 personnes

225 g de macaronis courts

175 g de fromage râpé

100 g de parmesan râpé

4 cuil. à soupe de miettes de pain frais

1 cuil. à soupe de basilic frais haché

1 cuil. à soupe de beurre ou de margarine

SAUCE TOMATE

1 cuil. à soupe d'huile d'olive

1 échalote, finement hachée

2 gousses d'ail, hachées

500 g de tomates concassées en boîte

1 cuil. à soupe de basilic frais haché

sel et poivre

1 Pour préparer la sauce tomate, faire chauffer l'huile dans une casserole et faire revenir 1 minute les échalotes et l'ail. Ajouter les tomates, le basilic, le sel et le poivre, et faire cuire 10 minutes à feu moyen, en remuant.

2 Pendant ce temps, faire cuire al dente les macaronis 8 minutes dans une casserole d'eau bouillante salée. Égoutter.

3 Mélanger les deux fromages. Huiler un plat assez profond et y déposer le tiers de la sauce tomate. Recouvrir avec un tiers des macaronis et un tiers du fromage. Saler et poivrer. Recommencer avec les deux tiers des ingrédients restant.

4 Mélanger les miettes de pain et le basilic, et en parsemer le plat. Déposer quelques noix de beurre ou de margarine à la surface et mettre 25 minutes au four préchauffé à 190 °C (th. 5), jusqu'à ce que le gratin soit bien doré et commence à bouillonner. Servir immédiatement.

lasagnes aux aubergines et aux courgettes

4 personnes

1 kg d'aubergines

8 cuil. à soupe d'huile d'olive

25 g de beurre à l'ail
et aux fines herbes

450 g de courgettes, coupées
en rondelles

225 g de mozzarella, émiettée

600 ml de coulis de tomates

6 feuilles de lasagnes vertes
précuites

600 ml de béchamel
(*voir* page 98)

60 g de parmesan,
fraîchement râpé

1 cuil. à café d'origan séché

sel et poivre noir

1 Couper les aubergines en fines
rondelles, saupoudrer de sel
et réserver 20 minutes. Rincer et sécher
avec du papier absorbant.

2 Faire chauffer 4 cuillerées à soupe
d'huile d'olive dans une grande
poêle. Faire dorer la moitié des
aubergines 6 à 7 minutes à feu doux.
Égoutter et recommencer l'opération
avec l'huile et les aubergines restantes.

3 Faire fondre le beurre à l'ail
et aux fines herbes dans la poêle,
et faire dorer les courgettes
5 à 6 minutes. Égoutter.

4 Mettre la moitié des aubergines
et des courgettes dans un grand
plat à gratin. Poivrer et parsemer
avec la moitié de la mozzarella.
Étaler la moitié du coulis de tomates
et poser dessus 3 feuilles de lasagnes.
Recommencer l'opération.
Terminer avec une couche de lasagnes.

5 Napper de béchamel et parsemer
origan et parmesan.
Poser le plat sur une plaque
à pâtisserie et faire cuire au four
chaud, 30 à 35 minutes à 225 °C
(th. 7 à 8), jusqu'à ce que le dessus
soit bien doré.

pâtes aux brocolis et à l'ail

4 personnes

500 g de brocolis

300 g de fromage frais à l'ail
et aux fines herbes

4 cuil. à soupe de lait

350 g de tagliatelles vertes fraîches

25 g de parmesan râpé

sel

ciboulette ciselée, en garniture

1 Détailler les brocolis en fleurettes régulières. Porter à ébullition une grande casserole d'eau légèrement salée à feu moyen. Ajouter les brocolis et faire cuire 3 minutes. Égoutter immédiatement.

2 Faire fondre le fromage frais à feu doux dans une poêle sans cesser de remuer. Incorporer le lait afin d'obtenir une pâte homogène.

3 Ajouter le brocoli au fromage et mélanger délicatement.

4 Porter à ébullition une grande casserole d'eau légèrement salée à feu moyen. Ajouter les pâtes et faire cuire al dente 3 à 5 minutes, selon les instructions figurant sur le paquet.

5 Égoutter les pâtes et les répartir dans des assiettes de service chaudes. Disposer les brocolis au fromage par-dessus, parsemer de parmesan râpé, garnir de ciboulette ciselée et servir.

pâtes à la crème et aux brocolis

4 personnes

60 g de beurre

1 gros oignon, finement émincé

450 g de pâtes plates sèches

450 g de brocolis, en fleurettes

1 cuil. à soupe de farine

150 ml de bouillon de légumes
    bouillant

150 ml de crème fraîche allégée

60 g de mozzarella, émiettée

noix muscade, fraîchement râpée

sel et poivre blanc

tranches de pomme, en garniture

1 Faire fondre la moitié du beurre dans une casserole à feu moyen. Ajouter l'oignon et faire revenir 4 minutes.

2 Ajouter les pâtes et le brocoli, et faire cuire 2 minutes sans cesser de remuer. Verser le bouillon de légumes, ramener à ébullition et laisser mijoter 12 minutes. Saler et poivrer.

3 Faire fondre le beurre restant dans une casserole à feu moyen. Incorporer la farine et faire cuire

2 minutes. Incorporer progressivement la crème fraîche et faire chauffer, mais sans laisser bouillir. Ajouter la mozzarella, et assaisonner avec du sel et un peu de noix muscade fraîchement râpée.

4 Égoutter les pâtes et le brocoli, et verser la sauce au fromage dessus. Faire cuire 2 minutes en remuant de temps en temps. Mettre la préparation dans un grand plat creux chaud, garnir avec les tranches de pomme et servir.

spaghettis à la méditerranéenne

4 personnes

2 cuil. à soupe d'huile d'olive

1 gros oignon rouge, émincé

2 gousses d'ail, hachées

1 cuil. à soupe de jus de citron

4 jeunes aubergines,
  coupées en quatre

600 ml de coulis de tomates

2 cuil. à café de sucre en poudre

2 cuil. à soupe de concentré de
  tomates

400 g de cœurs d'artichauts en
  boîte, égouttés et coupés en deux

115 g d'olives noires, dénoyautées

350 g de spaghettis complets

2 cuil. à soupe de beurre

sel et poivre

brins de basilic frais, en garniture

pain aux olives, en accompagnement

1 Dans une poêle, faire chauffer
1 cuillerée à soupe d'huile d'olive
et faire revenir l'oignon, l'ail, le jus de
citron et les aubergines 4 à 5 minutes
à feu doux. L'oignon et les aubergines
doivent être légèrement dorés.

2 Ajouter le coulis de tomates, saler
et poivrer puis incorporer le sucre
en poudre et le concentré de tomates.
Porter le mélange à ébullition, baisser
le feu et laisser mijoter 20 minutes,
en remuant de temps en temps.

3 Ajouter les artichauts et les olives
en remuant, et laisser cuire
5 minutes.

4 Pendant ce temps, porter
à ébullition une grande casserole
d'eau légèrement salée, y verser
les spaghettis avec le reste de l'huile
et laisser cuire 7 à 8 minutes, jusqu'à
ce qu'ils soient cuits al dente.

5 Bien égoutter les pâtes,
y incorporer le beurre puis verser
le tout dans un grand plat.

6 Verser la sauce aux légumes
sur les spaghettis, garnir
avec les brins de basilic frais et servir
avec des tranches de pain aux olives.

tagliatelles vertes à l'ail

4 personnes

2 cuil. à soupe d'huile de noix
1 botte d'oignons verts, émincé
2 gousses d'ail, hachées
250 g de champignons, émincés
450 g de tagliatelles vertes
  et blanches fraîches
1 cuil. à soupe d'huile d'olive
225 g d'épinards surgelés,
  décongelés et égouttés
115 g de fromage frais à l'ail
  et aux fines herbes
4 cuil. à soupe de crème allégée
60 g de pistaches non salées,
  hachées
2 cuil. à soupe de basilic frais ciselé
sel et poivre
brins de basilic frais

1 Dans une poêle, faire chauffer l'huile de noix et faire revenir les oignons verts et l'ail 1 minute, jusqu'à ce qu'ils soient juste tendres.

2 Ajouter les champignons, bien remuer, couvrir et faire cuire environ 5 minutes à feu doux. Les champignons doivent être ramollis.

3 Porter à ébullition une casserole d'eau légèrement salée, verser les pâtes avec l'huile d'olive et laisser cuire 3 à 5 minutes. Les pâtes doivent être tendres mais al dente. Égoutter et reverser les pâtes dans la casserole.

4 Ajouter les épinards dans la poêle et réchauffer 1 à 2 minutes. Ajouter le fromage et le laisser fondre légèrement. Verser la crème et continuer de faire chauffer le mélange en prenant garde de ne pas faire bouillir, pour bien réchauffer.

5 Verser la sauce sur les pâtes, saler, poivrer et bien mélanger. Réchauffer la préparation à feu doux 2 à 3 minutes sans cesser de remuer.

6 Verser les pâtes dans un plat et parsemer de pistaches et de basilic ciselé. Garnir avec les brins de basilic et servir.

pâtes à la sauce aux légumes

4 personnes

3 cuil. à soupe d'huile d'olive

1 oignon, émincé

2 gousses d'ail, hachées

3 poivrons rouges, épépinés
   et coupés en lanières

3 courgettes, coupées en rondelles

400 g de tomates concassées
   en boîte

3 cuil. à café de tomates séchées

2 cuil. à soupe de basilic frais
   haché

225 g de fusilli frais

125 g de gruyère râpé

sel et poivre

brins de basilic frais, en garniture

3 Pendant ce temps, porter à ébullition une grande casserole d'eau légèrement salée à feu moyen. Ajouter les pâtes et faire cuire al dente, 8 à 10 minutes, selon les instructions figurant sur le paquet. Les égoutter, les ajouter aux légumes et mélanger délicatement.

4 Mettre dans un plat à gratin et parsemer de parmesan.

5 Passer quelques minutes sous un gril préchauffé, jusqu'à ce que le fromage soit doré. Disposer dans des assiettes de service, garnir de brins de basilic et servir.

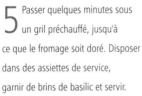

1 Faire chauffer l'huile à feu moyen dans une poêle ou une cocotte. Ajouter l'oignon et l'ail et les faire légèrement blondir en remuant de temps en temps. Ajouter les poivrons et les courgettes, et faire revenir 5 minutes en remuant de temps en temps.

2 Ajouter les tomates, le concentré de tomates et le basilic. Saler et poivrer, couvrir et laisser mijoter 5 minutes.

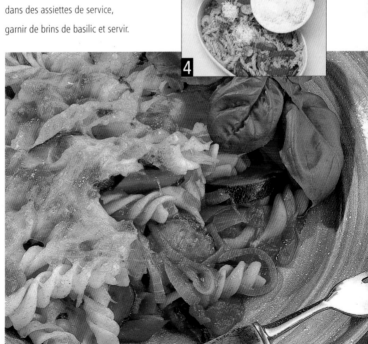

nouilles fraîches maison

2 à 4 personnes

NOUILLES

125 g de farine

2 cuil. à soupe de maïzena

½ cuil. à café de sel

125 ml d'eau bouillante

5 cuil. à soupe d'huile végétale

LÉGUMES SAUTÉS

1 courgette, coupée en julienne

1 branche de céleri, coupée
en julienne

1 carotte, coupée en julienne

125 g de champignons de Paris

125 g de brocolis, coupés
en fleurettes, tiges pelées
et taillées en fines rondelles

1 poireau, émincé

125 g de pousses de soja

1 cuil. à soupe de sauce soja

2 cuil. à café de vinaigre de riz

½ cuil. à café de sucre en poudre

1 Tamiser la farine, la maïzena et le sel au-dessus d'une terrine. Creuser un puits au centre et y verser l'eau bouillante avec une cuillerée d'huile. Mélanger rapidement pour former une boule de pâte. Couvrir et laisser reposer 5 à 6 minutes.

2 Prendre des petites pincées de pâte et les rouler en boule. Rouler les boules sur une surface légèrement huilée en les pressant de la paume de la main pour former des nouilles minces. Ne pas s'inquiéter si certaines se cassent en morceaux durant l'opération. Réserver.

3 Faire chauffer 3 cuillerées à soupe d'huile dans un wok à feu vif. Saisir les nouilles d'abord 1 minute à feu vif et les faire cuire 2 minutes à feu doux. Égoutter les nouilles cuites sur du papier absorbant. Réserver.

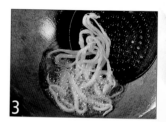

4 Faire chauffer le reste de l'huile dans le wok et y faire sauter la courgette, le céleri et la carotte 1 minute. Ajouter les champignons, les brocolis et le poireau et faire sauter 1 minute.

5 Ajouter les germes de soja, la sauce soja, le vinaigre de riz et le sucre dans le wok et chauffer sans cesser de remuer.

6 Ajouter les nouilles juste pour les réchauffer en mélangeant avec deux fourchettes. Servir.

spaghettis aux poires et aux noix

4 personnes

225 g de spaghettis

2 petites poires mûres, épluchées
et coupées en tranches

150 ml de bouillon de légumes

100 ml de vin blanc sec

2 cuil. à soupe de beurre

1 cuil. à soupe d'huile d'olive

1 oignon rouge, coupé en quatre
puis émincé

1 gousse d'ail, hachée

50 g de cerneaux de noix

2 cuil. à soupe d'origan haché

1 cuil. à soupe de jus de citron

75 g de fromage dolcelatte

sel et poivre

feuilles d'origan frais, en garniture

1 Faire cuire les pâtes 8 minutes dans une casserole d'eau bouillante salée, al dente. Bien égoutter et réserver.

2 Couvrir les poires de bouillon de légumes et de vin dans une casserole. Les faire pocher à feu doux 10 minutes. Égoutter et réserver les fruits ainsi que le liquide de cuisson.

3 Faire chauffer l'huile et le beurre dans une casserole jusqu'à ce que le beurre fonde et faire revenir 2 à 3 minutes l'oignon et l'ail, sans cesser de remuer.

4 Ajouter les noix, l'origan et le jus de citron en remuant. Ajouter les poires et 4 cuillerées à soupe du jus de cuisson.

5 Émietter le fromage dans la casserole et faire cuire 1 à 2 minutes à feu doux, en remuant de temps en temps, jusqu'à ce que le fromage commence juste à fondre. Saler et poivrer.

6 Mélanger les pâtes avec la sauce, garnir et servir.

cannellonis traditionnels

4 personnes

20 tubes de cannellonis secs
(environ 200 g) ou 20 carrés
de pâtes fraîches (environ 350 g)
250 g de ricotta
150 g d'épinards hachés,
décongelés
½ poivron rouge, épépiné et coupé
en dés
150 g de bouillon de légumes
ou de volaille très chaud
1 portion de sauce au basilic
et aux tomates (*voir* page 216)
2 oignons verts, émincés
beurre pour graisser
25 g de parmesan ou de pecorino,
râpé
sel et poivre

1 Certaine variétés de cannellonis
secs doivent être précuites, il faut
se reporter aux instructions figurant sur
le paquet. Si besoin est, porter une
casserole d'eau à ébullition, ajouter
1 cuillerée à soupe d'huile et cuire les
pâtes 3 à 4 minutes. Il est plus facile
de le faire en plusieurs fois.

2 Mélanger dans une terrine la
ricotta, les épinards, le poivron
et les oignons. Saler et poivrer.

3 Beurrer légèrement un plat à
gratin, assez grand pour contenir
tous les tubes de pâte en une seule
couche. Fourrer les tubes du mélange
à la ricotta et les disposer dans le plat
graissé. Avec des feuilles de pâtes
fraîches, étaler la ricotta sur l'un des
bords de chaque carré de pâte et rouler
pour former un tube.

4 Mélanger le bouillon et la sauce
au basilic et aux tomates
Verser sur les cannellonis.

5 Parsemer de fromage râpé
et gratiner au four préchauffé
à 190 °C (th. 6-7) 20 à 25 minutes,
jusqu'à ce que le dessus soit doré.

tortelloni

36 tortelloni

300 g de pâte fraîche, étalée
  en fines feuilles
75 g de beurre
50 g d'échalotes, finement hachées
50 g de champignons, essuyés
  et finement hachés
½ branche de céleri, finement
  hachée
3 gousses d'ail, hachées
25 g de pecorino, finement râpé,
  un peu plus pour garnir
sel et poivre

1 À l'aide d'une roulette dentelée, découper les feuilles de pâte fraîche en carrés de 5 cm. Pour faire 36 tortelloni, il faut 72 carrés. Recouvrir les carrés d'un film alimentaire pour éviter qu'ils se dessèchent.

2 Chauffer 25 g ou 2 cuillerées à soupe de beurre dans une poêle. Ajouter les échalotes, 1 gousse d'ail hachée, les champignons et le céleri et cuire 4 à 5 minutes.

3 Retirer la poêle du feu, incorporer le fromage. Saler et poivrer.

4 Verser 1/2 cuillerée à café de farce au centre de la moitié des carrés de pâte. Humecter les bords avec de l'eau et recouvrir avec les carrés restants. Appuyer sur les bords pour les fermer. Laisser reposer 5 minutes.

5 Porter une casserole d'eau à ébullition et cuire les tortelloni en plusieurs fournées, 2 à 3 minutes. Ils remontent à la surface quand ils sont cuits al dente. Retirer de la casserole et bien égoutter.

6 Pendant ce temps, faire fondre le reste du beurre dans une casserole. Ajouter les gousses d'ail restantes et poivrer généreusement. Cuire 1 à 2 minutes.

7 Répartir les tortelloni dans des assiettes. Napper de beurre aillé. Garnir de pecorino râpé et servir immédiatement.

pâtes aux épinards et aux pignons

4 personnes

225 g de torsettes

125 ml d'huile d'olive

1 oignon, coupé en quatre
   puis émincé

2 gousses d'ail, hachées

3 gros champignons de Paris,
   coupés en tranches

225 g d'épinards

2 cuil. à soupe de pignons

100 ml de vin blanc sec

sel et poivre

très fines lamelles de parmesan, en
   garniture

CONSEIL

Râpez un petit peu de noix
muscade au moment de servir,
la saveur de la muscade
se marie bien avec les épinards.

1 Faire cuire les pâtes 8 à
10 minutes dans une casserole
d'eau bouillante salée, al dente. Bien
égoutter.

2 Pendant ce temps, chauffer l'huile
dans une grande casserole et faire
revenir 1 minute l'ail et l'oignon.

3 Ajouter les champignons
en tranches et faire cuire
2 minutes en remuant de temps
en temps.

4 Ajouter les épinards et cuire
4 à 5 minutes, jusqu'à ce
que les épinards commencent à flétrir.

5 Ajouter les pignons et le vin.
Saler et poivrer puis faire cuire
encore 1 minute.

6 Verser les pâtes dans un plat
de service chaud et napper avec
la sauce. Garnir avec les lamelles
de parmesan et servir immédiatement.

aubergines farcies

4 personnes

225 g de penne sèches
    ou d'autres pâtes courtes
4 cuil. à soupe d'huile d'olive,
    un peu plus pour graisser
2 aubergines
1 gros oignon, émincé
2 gousses d'ail, hachées
400 g de tomates concassées
    en boîte
2 cuil. à café d'origan séché
55 g de mozzarella, coupée
    en fines tranches
25 g de parmesan frais, râpé
2 cuil. à soupe de chapelure
sel et poivre
mesclun, en accompagnement

Les évider et huiler l'intérieur.
Couper la chair en morceaux et réserver.

3 Faire revenir l'oignon dans le reste
d'huile jusqu'à ce qu'il soit
translucide. Ajouter l'ail et cuire
1 minute, ajouter la chair d'aubergine
et faire revenir 5 minutes. Verser
la pulpe de tomates et l'origan, saler
et poivrer. Porter à ébullition et laisser
mijoter 10 minutes pour épaissir.
Retirer du feu et ajouter les pâtes.

4 Huiler une plaque de four
et disposer les aubergines
en une seule couche. Répartir la moitié
de la farce entre elles, recouvrir
de mozzarella et du reste de la farce,
en tassant bien. Mélanger le parmesan
et la chapelure, en parsemer
les aubergines.

1 Porter à ébullition une casserole
d'eau salée, y verser les pâtes
avec 1 cuillerée à soupe de l'huile
d'olive et laisser cuire al dente.
Égoutter et réserver au chaud.

5 Mettre à cuire au four préchauffé,
à 210 °C (th. 7), 25 minutes.
Le dessus doit être bien gratiné. Servir
chaud accompagné de mesclun.

2 Couper les aubergines
dans la longueur et inciser
l'intérieur à l'aide d'un couteau
tranchant en veillant à ne pas traverser
la peau.

nouilles frites aux légumes

4 personnes

350 g de nouilles de riz

2 cuil. à soupe d'huile d'arachide

2 gousses d'ail, hachées

½ cuil. à café d'anis étoilé
en poudre

125 g de brocoli, en fleurette

1 carotte, coupée en julienne

1 poivron vert, coupé en lanières

1 oignon, coupé en 4 et émincé

75 g de pousses de bambou

1 branche de céleri, émincée

1 cuil. à soupe de sauce de soja claire

150 ml de bouillon de légumes

huile, pour la friture

1 cuil. à café de maïzena

2 cuil. à café d'eau

1 Faire cuire les nouilles 1 à 2 minutes à l'eau bouillante. Bien égoutter et rincer sous l'eau froide. Laisser égoutter dans une passoire.

2 Faire chauffer l'huile dans un wok préchauffé jusqu'à ce qu'elle fume. Réduire le feu, ajouter l'ail, l'anis étoilé et faire revenir 30 secondes. Incorporer le reste des légumes et faire cuire 1 à 2 minutes.

3 Ajouter la sauce de soja et le bouillon de légumes, couvrir et laisser cuire à feu doux 5 minutes.

4 Faire chauffer l'huile de friture à 180 °C, un dé de pain doit y dorer en 30 secondes.

5 Façonner des galettes en agglomérant les nouilles avec une fourchette et les faire frire, par fournée, en les retournant une fois, jusqu'à ce qu'elles soient croustillantes. Les égoutter sur du papier absorbant.

6 Mélanger la maïzena et l'eau pour obtenir une pâte et l'incorporer au wok. Porter à ébullition, faire cuire jusqu'à ce que la sauce ait épaissi et soit onctueuse.

7 Disposer les galettes sur un plat chaud, disposer les légumes au-dessus et servir.

galettes de coquillettes au maïs

4 personnes

2 épis de maïs

55 g de beurre

115 g de poivron rouge, épépiné
et coupé en dés

280 g de coquillettes

150 ml de crème fraîche épaisse

25 g de farine

4 jaunes d'œufs

4 cuil. à soupe d'huile d'olive

sel et poivre

GARNITURE

champignons chinois ou pleurotes

poireau cuit

1 Porter une casserole d'eau à ébullition à feu moyen. Ajouter le maïs et faire cuire environ 8 minutes. Égoutter soigneusement et rafraîchir sous l'eau froide 3 minutes. Égrener délicatement les épis de maïs et laisser sur du papier absorbant.

2 Faire fondre 25 g de beurre dans une poêle à feu doux. Ajouter le poivron et faire revenir 4 minutes. Retirer de la poêle et laisser égoutter sur du papier absorbant.

3 Porter à ébullition une grande casserole d'eau légèrement salée à feu moyen. Ajouter les coquillettes et cuire al dente, 12 minutes. Égoutter soigneusement et laisser refroidir dans de l'eau froide jusqu'à utilisation.

4 Battre la crème, la farine, une pincée de sel et les jaunes d'œufs dans une terrine jusqu'à obtenir un mélange homogène. Incorporer le maïs et le poivron à la préparation. Égoutter les coquillettes et les mélanger avec le mélange obtenu. Poivrer généreusement.

5 Chauffer le reste du beurre avec l'huile dans une grande poêle à feu moyen. Verser de grosses cuillerées de la préparation aux pâtes dans la poêle et les aplatir en forme de galettes. Faire dorer les galettes des deux côtés. Servir avec des champignons et du poireau cuit.

gâteau de macaronis

4 personnes

460 g de macaronis secs

50 ml d'huile

450 g d'oignons, émincés

450 g de pommes de terre, coupées
en fines rondelles

225 g de mozzarella, émiettée

150 ml de crème fraîche épaisse

sel et poivre

pain complet frais et beurre,
en accompagnement

1 Porter à ébullition une casserole d'eau légèrement salée. Ajouter les macaronis, et faire cuire environ 12 minutes, al dente. Bien égoutter et réserver.

2 Faire légèrement chauffer l'huile dans une grande cocotte, puis retirer du feu.

3 Dans la cocotte, alterner des couches de pommes de terre, d'oignons, de macaronis et de mozzarella émiettée, en salant et en poivrant bien chaque couche. Terminer avec une couche de mozzarella. Verser la crème fraîche sur la dernière couche.

4 Faire cuire au four préchauffé, pendant 25 minutes à 210 °C (th. 7). Sortir la cocotte du four et faire gratiner sous un gril très chaud.

5 Servir directement avec du pain complet frais et du beurre, en plat de résistance ou en accompagnement d'un plat de résistance.

pâtes aux légumes sautés

4 personnes

400 g de conchiglie complètes
  sèches, ou d'autres pâtes courtes
1 cuil. à soupe d'huile d'olive
2 carottes, coupées en fines rondelles
115 g de mini-épis de maïs
3 cuil. à soupe d'huile de maïs
3 branches de céleri, émincées
1 gros oignon, émincé
1 morceau de gingembre frais de
  2,5 cm, coupé en tranches fines
1 gousse d'ail, hachée
1 petit poivron rouge, évidé, égrené
  et coupé en fines lamelles
1 petit poivron vert, évidé, épépiné
  et coupé en fines lamelles
1 cuil. à café de maïzena
2 cuil. à soupe d'eau
3 cuil. à soupe de sauce de soja
3 cuil. à soupe de xérès sec
1 cuil. à café de miel liquide
1 filet de Tabasco (facultatif)
poivron rouge, coupé en fines
  lanières, en garniture
sel

1 Porter à ébullition une casserole d'eau salée. Ajouter les pâtes et l'huile d'olive, et faire cuire al dente. Égoutter et réserver au chaud.

2 Porter à ébullition une casserole d'eau légèrement salée. Ajouter carottes et épis de maïs, et faire cuire 2 minutes. Égoutter, rafraîchir à l'eau courante et égoutter de nouveau.

3 Faire chauffer l'huile de maïs dans un wok préchauffé ou une grande poêle. Ajouter le gingembre et faire sauter 1 minute à feu moyen. Jeter le gingembre.

4 Ajouter l'oignon, l'ail, le céleri et les poivrons, et faire sauter 2 minutes. Ajouter les carottes et les épis de maïs, et faire sauter encore 2 minutes. Ajouter les pâtes égouttées en remuant.

5 Mélanger la maïzena et l'eau pour former une pâte homogène. Incorporer sauce de soja, xérès et miel. Mélanger avec les pâtes et faire cuire 2 minutes, sans cesser de remuer. Incorporer le Tabasco (facultatif). Disposer dans un plat, garnir et servir.

Conjuguer avoirs et êtres

Desjardins

macaronis aux trois fromages

4 personnes

600 ml de béchamel (*voir* page 98)

225 g de macaronis

1 cuil. à soupe d'huile, pour graisser

1 œuf, battu

125 g de gruyère râpé

1 cuil. à soupe de moutarde à
   l'ancienne

2 cuil. à soupe de ciboulette ciselée

4 tomates, en rondelles

125 g de mozzarella, émiettée

55 g de roquefort (ou bleu), émietté

2 cuil. à soupe de graines
   de tournesol

sel et poivre

ciboulette ciselée, en garniture

1 Préparer une béchamel. La mettre dans une terrine et la couvrir de film alimentaire pour éviter la formation d'une pellicule à la surface. Réserver.

2 Porter à ébullition une grande casserole d'eau légèrement salée à feu moyen. Ajouter les pâtes et les faire cuire al dente. Égoutter et disposer dans un plat à gratin huilé.

3 Incorporer l'œuf battu, le gruyère râpé, la moutarde et la ciboulette dans la béchamel. Saler et poivrer.

4 Napper avec soin les macaronis avec la béchamel en les recouvrant bien. Disposer par-dessus les rondelles de tomates en couche.

5 Répartir régulièrement la mozzarella, le roquefort et les graines de tournesol sur la préparation. Placer le plat sur une plaque de four et cuire 25 à 30 minutes au four préchauffé à 190 °C (th. 6), jusqu'à ce que le dessus soit bien doré.

6 Garnir de brins de ciboulette et servir dans des assiettes chaudes.

salade de pâtes à la mayonnaise

4 personnes

1 belle laitue

250 g de penne

1 cuil. à soupe d'huile d'olive

8 pommes rouges à couteau

jus de 4 citrons

1 pied de céleri, coupé en rondelles

115 g de cerneaux de noix, coupés
en deux

250 ml de mayonnaise fraîche

sel

CONSEIL

Arroser les pommes de jus
de citron pour éviter
qu'elles ne brunissent.

1 Laver et essorer la salade puis la sécher avec du papier absorbant. La mettre au réfrigérateur 1 heure pour la rendre plus croquante.

2 Porter à ébullition une casserole d'eau salée, verser les pâtes avec l'huile d'olive et cuire 8 à 10 minutes, al dente. Égoutter, refroidir à l'eau courante et égoutter de nouveau. Réserver.

3 Évider les pommes et les couper en dés avant de les mettre dans une jatte. Arroser de jus de citron. Mélanger les pâtes avec le céleri, les pommes et les noix puis y mélanger la mayonnaise à l'ail.

4 Chemiser un saladier avec les feuilles de laitue et verser la salade de pâtes au centre à l'aide d'une cuillère avant de servir.

tourte de vermicelle

4 personnes

75 g de beurre, un peu plus
    pour graisser
225 g de vermicelle
    ou de spaghettis secs
sel et poivre
salade de tomates au basilic,
    en accompagnement
SAUCE
1 oignon, émincé
150 g de champignons de Paris
1 poivron vert, évidé, épépiné
    et coupé en fines rondelles
150 ml de lait
3 œufs, légèrement battus
2 cuil. à soupe de crème fraîche
    épaisse
1 cuil. à café d'origan séché
noix muscade, fraîchement râpée
1 cuil. à soupe de parmesan
    fraîchement râpé

1 Porter à ébullition une casserole d'eau légèrement salée. Ajouter le vermicelle, et faire cuire al dente. Égoutter, remettre dans la casserole et ajouter 25 g de beurre en remuant pour bien enrober les pâtes.

2 Beurrer généreusement un moule à flan à fond amovible de 20 cm. Garnir de pâtes en appuyant sur le fond et les côtés pour former un fond de tarte.

3 Faire fondre le beurre restant dans une poêle et faire revenir l'oignon jusqu'à ce qu'il soit translucide.

4 Ajouter les champignons et les poivrons, et faire cuire 2 à 3 minutes sans cesser de remuer. Disposer au milieu des pâtes et appuyer pour former une couche uniforme.

5 Ajouter en mélangeant lait, œufs et crème fraîche, origan, noix muscade et poivre noir. Verser délicatement ce mélange sur les légumes et parsemer de parmesan.

6 Faire cuire la tourte au four préchauffé, 40 à 45 minutes à 180 °C (th. 6), jusqu'à ce que la garniture soit prise. Démouler et servir chaud avec une salade de tomates au basilic.

nouilles de riz au tofu et aux champignons

4 personnes

225 g de nouilles de riz plates
1 gousse d'ail, finement hachée
1 morceau de gingembre frais
 de 2 cm, haché
4 échalotes, finement émincées
80 g de champignons shiitake,
 coupés en tranches
100 g de tofu ferme, coupé
 en dés de 1 cm
2 cuil. à soupe de sauce de soja claire
1 cuil. à soupe de vin de riz
1 cuil. à soupe de nuoc mam thaï
1 cuil. à soupe de beurre
 de cacahuète
1 cuil. à café de sauce de piment
2 cuil. à soupe de cacahuètes
 grillées, concassées
2 cuil. à soupe d'huile d'arachide
feuilles de basilic, en garniture

CONSEIL

Vous pouvez utiliser divers
champignons chinois
en boîte au lieu des shiitake, qu'il
faut tremper, puis égoutter avant
usage s'ils sont séchés.

1 Faire tremper les nouilles 15 minutes à l'eau chaude, ou selon les instructions figurant sur le paquet. Bien égoutter.

2 Faire chauffer l'huile dans un wok et faire revenir ail, gingembre et échalotes 1 à 2 minutes jusqu'à ce que le mélange fonde et se colore.

3 Ajouter les champignons et faire sauter 1 à 2 minutes. En remuant, ajouter le tofu et secouer pour le faire roussir légèrement.

4 Mélanger la sauce de soja, le vin de riz, le nuoc mam, le beurre de cacahuète et ajouter au wok.

5 Ajouter les nouilles et secouer le plat pour qu'elles s'imprègnent de la sauce. Parsemer de cacahuètes concassées et de feuilles de basilic et servir très chaud.

nouilles aigres-piquantes

4 personnes

250 g de nouilles aux œufs sèches
    moyennes

1 cuil. à soupe d'huile de sésame

1 cuil. à soupe d'huile pimentée

1 gousse d'ail, hachée

2 oignons verts, finement émincés

80 g de champignons de Paris,
    émincés

120 g de champignons noirs chinois
    séchés, trempés, égouttés
    et émincés

2 cuil. à soupe de jus de citron vert

3 cuil. à soupe de sauce de soja claire

1 cuil. à café de sucre

ACCOMPAGNEMENT

lanières de chou chinois

2 cuil. à soupe de coriandre hachée

2 cuil. à soupe de cacahuètes
    grillées, concassées

CONSEIL

L'huile pimentée thaïe est très
relevée. Si vous préférez
une saveur plus douce, utilisez
de l'huile végétale classique pour
la première cuisson et ajoutez
l'huile pimentée juste avant
de servir.

1 Dans une casserole d'eau
bouillante, faire cuire les nouilles
pendant 3 à 4 minutes, ou en suivant
les instructions figurant sur le paquet.
Bien égoutter, arroser d'huile
de sésame et réserver.

2 Dans un wok, faire chauffer l'huile
pimentée et y faire revenir
rapidement l'ail, l'oignon et les
champignons de Paris.

3 Ajouter les champignons noirs,
le jus de citron vert, la sauce
de soja et le sucre, et faire sauter
jusqu'à ce que le mélange frémisse.
Ajouter les nouilles et secouer le wok
pour bien mélanger le tout.

4 Servir sur un lit de chou chinois,
parsemé de coriandre
et de cacahuètes grillées.

Desserts

Quand on pense à des recettes de pâtes, ce ne

sont pas les desserts qui viennent d'emblée à

l'esprit, et pourtant vous trouverez dans ce

chapitre des plats sucrés aussi étonnants que savoureux. Les Italiens adorent

leurs desserts, et lors d'une circonstance particulière ou d'une fête ils sont

capables de déployer le plus grand des talents. On dit des Siciliens qu'ils ont

les goûts les plus délicats et on leur doit nombre des plus délicieux desserts

italiens.

nids aux pistaches et au miel

4 personnes

225 g de cheveux d'ange
115 g de beurre
175 g de pistaches, hachées
115 g de sucre
115 g de miel liquide
150 ml d'eau
2 cuil. à café de jus de citron
sel
yaourt brassé nature,
    en accompagnement

CONSEIL

Pâtes longues et très fines,
les cheveux d'ange (capelli
d'angelo) sont généralement
vendus en petits tas qui
ressemblent déjà
à des nids.

1 Porter à ébullition une casserole d'eau salée. Ajouter les pâtes et faire cuire al dente. Égoutter et remettre dans la casserole. Ajouter le beurre et bien mélanger pour enrober les pâtes. Laisser refroidir.

2 Disposer 4 moules individuels sur une plaque à pâtisserie. Diviser les cheveux d'ange en 8 parts égales et garnir les moules avec 4 parts. Appuyer légèrement. Mettre la moitié des pistaches sur les pâtes, puis ajouter le reste des pâtes.

3 Faire cuire au four préchauffé, 45 minutes à 180 °C (th. 6), jusqu'à ce que le dessus soit doré.

4 Pendant ce temps, mettre le sucre, le miel et l'eau dans une casserole, et porter à ébullition à feu doux, sans cesser de remuer jusqu'à complète dissolution du sucre. Laisser mijoter 10 minutes, ajouter le jus de citron et laisser encore mijoter 5 minutes.

5 À l'aide d'une spatule, mettre délicatement les nids de cheveux d'ange dans un plat. Verser le sirop au miel dessus, parsemer avec les pistaches restantes et laisser refroidir avant de servir. Servir avec le yaourt brassé.

gâteau allemand aux pâtes

4 personnes

60 g de beurre, un peu plus
    pour graisser

175 g de pâtes plates aux œufs

115 g de fromage blanc

225 g de fromage cottage

90 g de sucre en poudre

2 œufs, légèrement battus

125 ml de crème aigre

1 cuil. à café d'extrait de vanille

1 pincée de cannelle en poudre

1 cuil. à café de zeste de citron râpé

25 g d'amandes effilées

25 g de chapelure blanche

sucre glace, pour saupoudrer

1 Beurrer un plat à gratin. Porter à ébullition une casserole d'eau. Ajouter les pâtes et faire cuire jusqu'à ce qu'elles soient presque tendres. Égoutter et réserver.

2 Battre dans une jatte les deux fromages et le sucre en poudre. Incorporer progressivement les œufs en battant après chaque ajout.

3 Incorporer la crème aigre, l'extrait de vanille, la cannelle et le zeste de citron. Bien mélanger les pâtes à la préparation pour les enrober. Mettre le tout dans le plat à gratin et égaliser.

4 Faire fondre le beurre dans une poêle. Ajouter les amandes et faire revenir 1 minute à 1 min 30 sans cesser de remuer (les amandes doivent être légèrement colorées). Retirer la poêle du feu et mélanger la chapelure aux amandes.

5 Saupoudrer le gâteau avec le mélange amandes-chapelure, et faire cuire au four préchauffé, 35 à 40 minutes à 180 °C (th. 6), jusqu'à ce que le gâteau soit juste pris. Saupoudrer de sucre glace et servir.

raviolis sucrés au four

4 personnes

PÂTE SUCRÉE

425 g de farine

140 g de beurre,
un peu plus pour graisser

140 g de sucre en poudre

4 œufs

25 g de levure de boulanger

125 ml de lait, chaud

GARNITURE

175 g de purée de marrons

60 g de cacao en poudre

60 g de sucre en poudre

60 g d'amandes, hachées

60 g de macarons, émiettés

175 g de marmelade d'oranges

1 Pour la pâte sucrée,
tamiser la farine dans une jatte
et ajouter le beurre, le sucre
et 3 œufs.

2 Bien mélanger la levure et le lait
chaud dans une petite jatte,
puis incorporer à la pâte.

3 Pétrir 20 minutes la pâte,
couvrir avec un linge et faire lever
1 heure dans un endroit chaud.

4 Mélanger dans une autre jatte
purée de marrons, cacao
en poudre, sucre, amandes, macarons
émiettés et marmelade d'oranges.

5 Beurrer une plaque
à pâtisserie.

6 Fariner légèrement un plan
de travail. Abaisser la pâte en
couche mince et découper des ronds
de 5 cm à l'aide d'un emporte-pièce.

7 Mettre 1 cuillerée de garniture
sur chaque rond et plier en deux,

en appuyant sur les bords pour
les souder. Disposer les raviolis
sur la plaque à pâtisserie à bonne
distance les uns des autres.

8 Battre l'œuf restant et
badigeonner les raviolis. Faire
cuire au four préchauffé 20 minutes
à 180 °C (th. 6), jusqu'à ce que
les raviolis soient bien dorés.
Servir très chaud.

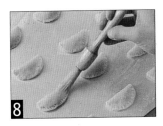

fusilli aux framboises

4 personnes

175 g de fusilli
700 g de framboises
1 cuil. à soupe de jus de citron
2 cuil. à soupe de sucre en poudre
4 cuil. à soupe d'amandes effilées
3 cuil. à soupe de liqueur
   de framboise

CONSEIL

Vous pouvez utiliser presque
toutes les variétés de fruits rouges
et bien mûrs pour faire ce dessert.
Les fraises et les mûres
conviennent très bien, associées
à la liqueur correspondante. Vous
pouvez aussi mettre dans
les fusilli un fruit rouge autre que
la framboise, tout en gardant
la sauce à la framboise
pour les accommoder.

1 Porter à ébullition une casserole
d'eau légèrement salée.
Ajouter les fusilli et faire cuire al dente.
Égoutter et remettre dans la casserole.
Laisser refroidir.

2 En appuyant fort à l'aide d'une
cuillère, passer 225 g de framboises
à travers une passoire posée sur une jatte
pour obtenir une purée homogène.

3 Mettre la purée de framboises
et le sucre dans une casserole
et laisser mijoter 5 minutes, en remuant
de temps en temps. Incorporer le jus
de citron et réserver.

4 Ajouter les framboises restantes
aux fusilli et bien mélanger.
Disposer dans un plat.

5 Étaler les amandes
sur une plaque à pâtisserie
et passer sous un gril jusqu'à
ce qu'elles soient bien dorées.
Retirer du gril et laisser refroidir un peu.

6 Incorporer la liqueur
à la préparation aux framboises,
et bien mélanger. Verser cette sauce
à la framboise sur les fusilli, parsemer
d'amandes grillées et servir.